A SÍNDROME DO IMPERADOR

PAIS **EMPODERADOS** EDUCAM MELHOR

Copyright © Leo Fraiman, 2019
Todos os direitos reservados à
Editora FTD S.A.
Matriz: Rua Rui Barbosa, 156 – Bela Vista
São Paulo – SP
CEP 01326-010 – Tel.: (0-XX-11) 3598-6000
Caixa Postal 65149
CEP da Caixa Postal 01390-970
Internet: www.ftd.com.br
E-mail: projetos@ftd.com.br

DIRETOR DE CONTEÚDO E NEGÓCIOS
Ricardo Tavares de Oliveira

GERENTE EDITORIAL
Isabel Lopes Coelho

EDITORA
Rosa Visconti Kono

DIRETOR DE OPERAÇÕES E PRODUÇÃO GRÁFICA
Reginaldo Soares Damasceno

Nenhuma parte desta publicação poderá ser reproduzida, seja por meios mecânicos, eletrônicos, seja via cópia xerográfica, sem a autorização prévia das editoras.

EDITORA RESPONSÁVEL
Rejane Dias

EDIÇÃO E PREPARAÇÃO DE CONTEÚDO
Mariana Fancio Gonçalo

PREPARAÇÃO DE TEXTO
Sonia Junqueira

Belo Horizonte
Rua Carlos Turner, 420, Silveira, 31140-520
Belo Horizonte, MG, Tel.: (55 31) 3465 4500

REVISÃO
Bruna Fernandes
Carolina Lins Brandão
Samira Vilela

São Paulo
Av. Paulista, 2.073, Conjunto Nacional, Horsa I
23º andar, Conj. 2301, Cerqueira César
01311-940, São Paulo, SP, Tel.: (55 11) 3034 4468

CAPA E PROJETO GRÁFICO
Diogo Droschi

DIAGRAMAÇÃO
Waldênia Alvarenga

Dados Internacionais de Catalogação na Publicação (CIP)
(Câmara Brasileira do Livro, SP, Brasil)

Fraiman, Leo
 A síndrome do imperador : pais empoderados educam melhor / Leo Fraiman. -- Belo Horizonte : Autêntica Editora -- São Paulo : FTD, 2019.

 ISBN (Autêntica) 978-85-513-0351-1
 ISBN (FTD) 978-85-96-02377-1

 1. Crianças - Formação 2. Desenvolvimento pessoal 3. Desenvolvimento profissional 4. Educação de adolescentes 5. Educação de crianças 6. Filhos - Criação 7. Pais e filhos - Relacionamento 8. Responsabilidade dos pais I. Título.

19-26677   CDD-649.1

Índices para catálogo sistemático:
1. Pais e filhos : Relacionamento : Educação familiar 649.1

Cibele Maria Dias - Bibliotecária - CRB-8/9427

584.684/19

LEO FRAIMAN

A SÍNDROME DO IMPERADOR

PAIS **EMPODERADOS** EDUCAM MELHOR

autêntica FTD

Agradecimentos

Aos meus pais, Ana e Moyzés Fraiman, com quem aprendi, na prática, muito do que está aqui. Vocês me mostraram a importância das raízes e aqui está o fruto.

Ao André Luiz Martins, pelos cuidados com a comunicação junto ao público, trazendo conteúdos e ideias importantes para a concretização desta obra, e pela edição dos vídeos aqui expostos.

Ao André Luiz Pereira e Cecília Oliveira, por todos os cuidados, pelo carinho e pela alegria no dia a dia na clínica onde atendo meus pacientes. Sua afetividade trouxe uma energia muito positiva e muito confortável ao longo desses meses em que me dediquei a esta escrita.

Ao Antonio Rios, meu amigo, meu mentor que tem dedicado palavras e *insights* incríveis em minha carreira e que apostou nesse projeto, inspirando-me a produzir uma obra transformadora.

À Bruna Fernandes, Carolina Lins Brandão e Samira Vilela, pela revisão que deu ainda mais fluência e leveza ao texto.

À Daniela Portugal, minha amada, pela paciência, pelo carinho, pelos cafés e lanchinhos deliciosos ao longo dos muitos momentos em que me dediquei a escrever estas páginas, e pelo incentivo incondicional para que eu expresse a verdade no meu coração e faça a diferença no mundo.

À Danielle Moura, da Teenager Assessoria Profissional, minha amiga, parceira incansável e dedicada há mais de 15 anos, que me assessora nas palestras e viagens por este país afora, onde colhi muitas das experiências relatadas aqui.

A Deus, fonte da vida e do amor que reside em nossos corações, luz que nos guia e inspira o melhor em nós.

Ao Diogo Droschi, pela delicadeza com que cuidou do projeto gráfico, trazendo felicidade e leveza à leitura com um design acertado, cheio de vida.

Às escolas que acreditam no trabalho da Metodologia OPEE e que são a fonte de toda essa inspiração transformadora.

Cada escola, cada colégio, cada mediador e mediadora merece meu respeito e minha gratidão. Este livro é para vocês, por vocês.

À Isabel Lopes Coelho, pela gestão atenta de todos os processos, sempre delicada e dedicada, nossas conversas e trocas enriquecedoras contribuíram muito para o resultado final.

À Mariana Fancio Gonçalo, pela gestão de todo o conteúdo, você que é uma fiel parceira, amiga e inspiradora do dia a dia, com quem dividi este sonho desde o começo. Suas ideias, seus questionamentos, sua supervisão e pesquisas permitiram um aprofundamento acadêmico para que este livro faça mesmo a diferença aos diversos públicos a que se destina.

À Patrícia Patané, pela amizade e pelo carinho com que acolhe desde sempre meus sonhos e me incentiva a crescer, a dar o meu melhor em tudo que faço.

À Rejane Dias, editora que dedicou uma equipe incrível para que este livro pudesse ser produzido com qualidade e profundidade. Adorei nossas interlocuções, as provocações de ideias e ideais que culminaram num resultado que me deixou muito feliz.

Ao Ricardo Tavares, pelo apoio entusiasmado e determinante. Sua energia, seu acolhimento e seu direcionamento a este projeto fizeram toda a diferença.

À Rosa Visconti Kono, pelo olhar atento nesta edição, primando sempre pela qualidade do conjunto da obra.

À Silvana Pepe, Diretora Geral da OPEE Educação, minha amiga e parceira de jornada, você que é uma mãe dedicada e amorosa, com quem aprendo sempre e em quem me espelho quando penso em temas ligados à educação, à família e ao amor, me inspirando a dar o meu melhor, sempre.

Ao Tadeu Patané, meu irmão de escolha, fiel parceiro de carreira e de vida, com quem compartilho a trajetória da OPEE Educação, pai amoroso, presente e praticante dos melhores ideais aqui expostos.

À Waldênia Alvarenga, pela diagramação dedicada e que permitiu uma leitura fluida ao livro.

SUMÁRIO

1 Introdução
Como estamos vivendo hoje | p. 13

Breve olhar sobre a situação de crises e incertezas nas esferas política e econômica do Brasil e de diversas partes do mundo, ressaltando a importância da educação para a formação de pessoas autônomas, resilientes, empreendedoras e cidadãs, capazes de conviver em um mundo que nos apresenta medos e desafios, mas também oportunidades. A importância do desenvolvimento pessoal e profissional baseado em ética, valores e caráter, a partir da criação de um projeto de vida tanto para os pais quanto para os filhos. *Quadro: Pré-teste.*

2 Presente e futuro
Para onde estamos indo? | p. 27

Contexto da sociedade atual e desafios no horizonte das crianças e adolescentes de hoje. As mudanças no mundo profissional, a evolução constante da tecnologia e como será o trabalho nesse novo cenário. A importância das competências socioemocionais para a construção do sucesso dos jovens agora e no futuro. *Quadros: A Lei de Moore; As profissões do futuro; O que são competências socioemocionais.*

3 A realidade das crianças e dos adolescentes imperadores
Perigos à vista | p. 41

Por que a educação atual está longe de desenvolver as competências que serão mais importantes no futuro. As mudanças nos papéis familiares. O que é a síndrome do imperador. Os perigos a que são expostos nossas crianças e adolescentes imperadores. Como o narcisismo prejudica a educação. A diferença entre familiaridade e parentesco. As dificuldades encontradas pelos pais ao educar seus filhos.

4 Atitudes que prejudicam a educação dos filhos
Sim, isso faz mal | p. 65

As 10 atitudes mais prejudiciais na educação dos filhos e o que cada uma delas provoca de negativo na criança ou no adolescente – e, consequentemente, na sociedade. A diferença entre autonomia e abandono. A importância da frustração para o desenvolvimento. *Quadro: Tipos de pais.*

5 Corrigindo o rumo para uma educação saudável
Pais empoderados educam melhor | p. 77

O que leva os adultos a agir de forma não saudável em relação aos filhos, tratando-os como "pequenos imperadores". A importância de os pais estimularem os filhos a desenvolver a resiliência e um projeto de vida. Os fatores que de fato promovem a felicidade. Como os pais podem se empoderar para mudar a forma como estão educando os filhos. Dez atitudes importantes para uma formação familiar saudável e o que cada uma delas provoca de positivo na criança ou no adolescente. *Quadros: Uso saudável da tecnologia; Suicídio: como tratar do tema em casa.*

6 Desenvolvendo as competências socioemocionais
A lição de casa das famílias | p.107

O papel da escola e dos pais no desenvolvimento das competências socioemocionais das crianças e dos adolescentes. Como desenvolver no cotidiano familiar cada uma das dez competências definidas pela BNCC, com sugestões de atividades e indicações de leituras e filmes. *Quadros: Vamos falar de otimismo?; Dicas para ajudar o filho a ir bem na escola.*

Conclusão | p.125

Bibliografia | p.133

Infográficos | p.135

Caderno de Atividades | p.141

Foto: Shutterstock/Pressmaster

CAPÍTULO 1

Introdução
Como estamos vivendo hoje

Impressionado. Feliz. Orgulhoso. Inspirado. Assustado. Foi assim que me senti quando vi que uma entrevista que concedi ao meu amigo Ronnie Von, do *Programa Todo Seu*, tinha mais de 30 milhões de visualizações no Facebook e no YouTube.

Recebi inúmeros pedidos de palestras, consultas, de mais conteúdos abordando a temática da superproteção, do excesso de mimos dedicados às crianças e aos adolescentes na atualidade e das dificuldades na relação entre a família e a escola. Naquela entrevista me exaltei, bati na madeira, falei em voz alta pois o tema me toca como filho, como educador, como psicólogo, como ser humano.

Não posso compactuar com um modelo de educação que tem destruído a saúde mental e emocional de tantas famílias. Não posso me calar diante da escalada de casos de depressão, de suicídio e violência de crianças e adolescentes. Não posso observar calado a guerra que se instalou entre tantas famílias nas relações com as escolas, que se sentem hoje atacadas e desprezadas.

Este livro é a minha contribuição para aqueles e aquelas que ainda acreditam que a família é a base essencial da formação humana e que os pais e as mães atuais precisam se respeitar mais, se ajudar mais e fortalecer sua aliança com a escola para formar filhos com brilho nos olhos e amor no coração.

Veja aqui a entrevista na íntegra:

Comecei a escrever este livro no ápice da greve de caminhoneiros que paralisou o Brasil em maio de 2018. Aquela situação foi um exemplo claro de tudo o que está acontecendo no nosso país: a falta de crença na liderança do governo e das autoridades, que, em especial nos últimos anos, tem se mostrado constantemente em ambivalência, omissa, lenta, não confiável e não legitimada por boa parte do povo.

Observa-se uma situação de pouca clareza e de falta de liderança absolutas. E isso vale tanto para o governo e as autoridades do país quanto para a sociedade em geral. Não confiamos mais em muitas das grandes empresas, marcas, partidos, em quase nenhuma instituição brasileira.

O que notamos é que, quando as lideranças adquirem esse caráter – de falta de confiança e de segurança –, as pessoas tendem a agredir a si mesmas ou aos outros. Essa é uma das causas da explosão de violência que tem atingido a sociedade brasileira de forma assustadora, ao lado da desigualdade e de outras questões sociais e econômicas.

Para se ter uma ideia do que isso significa, o *Atlas da Violência 2018*, publicado pelo Instituto de Pesquisa Econômica Aplicada (Ipea) e pelo Fórum Brasileiro de Segurança Pública (FBSP), registra que o número de assassinatos cometidos no país em 2016 foi 30 vezes maior do que o da Europa. Na última década, 553 mil brasileiros morreram de forma violenta – o que dá um total de 153 mortes por dia. Esse número é um pouco maior que o de mortos na guerra da Síria, segundo estimativas da Organização das Nações Unidas (ONU).

O mais assustador é que o grupo mais atingido pela violência no Brasil é o de jovens entre 15 e 19 anos, e homicídio é a causa de 49,1% das mortes nessa faixa etária para o sexo masculino. No caso das autoagressões, os jovens também são maioria. Segundo dados do Ministério da Saúde, das 176.226 lesões autoprovocadas que não resultaram em morte notificadas no país entre 2011 e 2016, a maior parte foi cometida por jovens de 10 a 29 anos – 51,8% para o sexo feminino e 48,3% para o masculino. Já o suicídio tornou-se a quarta maior causa de morte entre pessoas de 15 a 29 anos de idade no Brasil, no mesmo período (terceira para o sexo masculino e oitava para o sexo feminino). Esses dados são muito preocupantes porque, ao perder uma parcela importante da sua juventude para a violência, o país tem seu desenvolvimento seriamente afetado.

Diante de um cenário de intensa instabilidade e insegurança como o que vivemos, é comum que as pessoas acabem desenvolvendo transtornos como depressão, ansiedade e síndrome do pânico, entre outros. Não foram poucos os pacientes que me ligaram durante os dias da greve, com medo e preocupados porque seus filhos haviam perguntado se o mundo ia acabar, ao verem as cenas exibidas pelas emissoras de TV que mostravam conflitos, pessoas pedindo intervenção militar e o medo generalizado de desabastecimento.

Se para um adulto é difícil entender essa situação, para uma criança ou um adolescente é muito mais, já que estes ainda não têm o cérebro completamente formado. E quando não se sabe o que pensar, o cérebro se desgasta e o coração se desmotiva.

O cérebro precisa de previsibilidade e de segurança. Mais ainda: de um projeto de vida. Projetar uma vida significa estabelecer imagens que, de alguma forma, vão estimular a pessoa no tempo e no espaço para que ela persiga metas e objetivos que lhe façam sentido. Se as imagens projetadas são ambivalentes ou obscuras, o ser humano tende ao que o psicólogo norte-americano Martin Seligman chama de "desamparo aprendido", que é a sensação de que nada do que ele fizer terá o resultado pretendido ou um reforço positivo, o que leva à desmotivação.

O psiquiatra austríaco Viktor Frankl já havia abordado esta questão em seu livro *Em busca de sentido*. Quando estava em Auschwitz, Frankl começou a observar que algumas pessoas desistiam de viver. Ele chamou essa atitude de "síndrome da desistência": diante da dor, da violência, do sofrimento, de todo tipo de padecimento e da morte nos campos de concentração, algumas pessoas desistiam de se alimentar, de se proteger do frio e morriam em poucos dias. Já outras mostravam resiliência, esperança e força de vontade, apesar de tudo. Ele observou que essas pessoas, que conseguiam manter a serenidade apesar das condições tão adversas, eram aquelas que tinham algum projeto de vida, um objetivo maior que as conduzia em frente. Para ele, quem tem um projeto de vida, quem tem um "para que" viver, encontra o "como" viver. Veio daí meu desejo de trabalhar com projetos de vida, porque percebi que até numa situação extrema é o projeto de vida que nos salva da desgraça. A resiliência, ou seja, a capacidade de dar a volta por cima, de superar as adversidades, depende da confiança em um futuro com perspectivas. É o ato de crer, agir e ver o resultado acontecer.

Infelizmente, se olharmos bem ao nosso redor, podemos perceber que a falta de liderança e de referências que gera insegurança e sensação de desamparo também estão presentes em muitas famílias. Por isso, a criança e o adolescente que tiverem um projeto de vida terão também mais chances de crescer para serem a melhor versão de si mesmos. Esse é o antídoto ao projeto de morte cujos dados foram citados anteriormente.

É claro que é difícil formar um projeto de vida em meio a tanto caos, a tantas notícias, na televisão ou nas redes sociais, afirmando que o Brasil não tem jeito, mostrando que o governo é corrupto, que nada funciona no país, que não dá para confiar nas pessoas, que as coisas mudam o tempo todo. Ainda mais quando os pais, muitas vezes, agem também como filhos perdidos de um estado que os abandonou.

Existe de fato uma escalada de abandonos muito séria, com efeitos terríveis sobre o bem-estar das pessoas. Então, é nessa hora que devemos fazer o que tem de ser feito, que precisamos fazer o certo em educação. É na hora do fogo que se revela o ouro.

E você? É feito de plástico, que derrete,
ou de ouro, que pode ser lapidado infinitas vezes?

Em geral, admiramos países como Japão, Finlândia e Inglaterra, mas esquecemos que esses países também passaram por momentos terríveis. A Alemanha, por exemplo, teve que ser destruída para se reconstruir de outra forma. E é isso o que nós, adultos – professores, pais –, devemos procurar: encontrar dentro de nós a sanidade, o eixo, a esperança para explicar às crianças e aos adolescentes que somos um país em desenvolvimento e que essas são as dores do crescimento.

Além disso, precisamos ter consciência de que, dentro da nossa casa, mais do que nunca os valores são necessários, porque não adianta esperar uma solução que vai vir de um grande salvador da pátria. Isso não existe. Ela vai ter que vir do universo micro mesmo, de cada mãe, de cada pai, de cada chefe, de cada amigo. Não estamos mais na época dos grandes milagres bíblicos, que fizeram o mar se abrir ou o pão cair do céu. O milagre hoje é a mudança de consciência, é ter a coragem de fazer o certo quando parece que o errado é o comum. O grande milagre é as pessoas se empoderarem com esse grau de liberdade interior, o que depende da decisão de cada um.

Isso porque é nas situações-limite que mostramos do que somos feitos. Quando acontece um tsunami, um terremoto, há pessoas que roubam as casas vazias, enquanto outras dividem sua pouca comida com o vizinho. É um momento e uma situação em que cada um vai mostrar do que é feito. Tudo o que estamos vendo no nosso país é fruto do abandono e da falta de educação, da falta de uma visão de médio e longo prazo e da ausência de um projeto nacional. O Brasil carece de políticas perenes em muitas áreas estrategicamente importantes, e se, de tempos em tempos (ou a cada nova eleição), os poucos projetos de longo prazo são descontinuados, o preço que pagamos é o resultado de uma cultura de impulsividade e de imediatismo – como se vivêssemos em constante ansiedade e histeria. Quando tudo é urgente, nada se mostra importante.

Trazendo isso para dentro da família, é exatamente igual. Quando um filho apresenta um sintoma preocupante, precisamos entender que isso não se instalou do nada. Há uma história por trás do que nos aparece como um sofrimento, muitas vezes incompreensível. Então é preciso entender, antes de tudo, em que estágio a família e o(s) filho(s) se encontram. Em geral, para se ter uma chance de cura, demora-se de 10% a 20% do tempo que o sintoma levou para se instalar. E é difícil curar todo e qualquer sintoma psicológico da noite para o dia. Mas, se cada um der o melhor de si, há uma chance. O contrário disso é tragédia iminente.

E o suicídio é somente uma das grandes tragédias que ocorrem hoje com nossas crianças e nossos adolescentes. Os índices de obesidade infantil e juvenil são alarmantes; há um perfil de apatia generalizado entre alunos de escolas públicas e particulares; ocorre uma medicalização enorme de crianças e adolescentes; existe um elevado consumo de álcool e drogas; há uma sexualização precoce de meninas e meninos de todos os níveis sociais, e os índices de depressão, ansiedade e transtornos de narcisismo atingiram patamares nunca vistos. Isso tudo é a culminância da falta de projetos de vida pessoais e sociais consistentes.

Estamos vivendo o colapso de um sistema de vida que apostou na espontaneidade, na ideia de que Deus é brasileiro, na percepção de que as coisas se resolvem sozinhas e na terceirização. Sempre achamos que o outro vai resolver – o governo, o marido ou a esposa, a escola. Porém, não dá mais para vivermos assim. Temos de parar com esse comodismo e essa alienação e entender que estamos numa crise, e que o único jeito de sair dela é cada um fazer o que tem de ser feito. É fazer o que tem de ser feito para termos uma chance de dormir em paz e acordar com ânimo para continuar e com orgulho de saber que, no meio do mar de lama em que estamos mergulhados, podemos ser o filtro, e não a lama. Este é o momento da virada, da tomada de consciência de que temos, todos, nossa parcela de responsabilidade sobre o futuro.

Por isso, acredito mais do que nunca que é fundamental cada um investir mais e mais no seu projeto de vida: no seu projeto de vida como adulto, como pai e como cidadão. O intuito deste livro é apontar direções para que você – pai, mãe, educador, educadora – possa inspirar o caminho e o futuro dos nossos jovens. Sem um projeto de vida e para a vida, fica mais fácil instalar-se um projeto de morte: morte dos sonhos, da saúde, da sanidade.

Como diria o filósofo grego Platão, ver a luz por um instante é um convite para ver a luz sempre. Às vezes, um fósforo pode iluminar uma sala de 100 metros quadrados. Da mesma maneira, às vezes um primeiro e pequeno "sim" que você diz – "vou fazer minha família feliz", "vou me reconectar com meu filho", "vou dar um jeito no meu casamento", "vou dar uma aula inspiradora" – é tudo o que precisa para recomeçar, para procurar novos caminhos para uma vida boa.

Este livro não vai apresentar soluções mágicas; vai, sim, ajudar você a pensar e a buscar, entre seus pares e no mundo acadêmico, aquilo que pode orientá-lo a construir um projeto de vida com autoria, com autenticidade, dentro da sua forma de ver o mundo. É nosso desejo que, a partir desta leitura, você possa oferecer a seus filhos uma educação que contribua para que se tornem pessoas autônomas, resilientes, empreendedoras e cidadãs, capazes de conviver em um mundo que apresenta não só medos e desafios, mas também oportunidades de desenvolvimento pessoal e profissional. Se desejamos o melhor para nossos filhos, é preciso, antes de mais nada, olhar para dentro de nós, romper a fala pronta de que "hoje em dia é assim", "as coisas não têm mais jeito", ou "todo mundo já faz". Afinal, ensinamos não o que sabemos, e sim o que somos. Neste mundo tão instável e "líquido"[1], só podemos contar com aquilo que há de mais sólido em um ser humano: seu caráter, seus valores, sua ética. Assim, de dentro para fora, retomamos o controle de nossa consciência e ajustamos nossos pensamentos, sentimentos e ações para inspirar nossos filhos a se tornarem pessoas de bem, felizes e saudáveis.

Pronto para seguir essa jornada?

DESTAQUES ──────────────────

Que tal sentir orgulho ao olhar o mar de lama em que muitas vezes nos sentimos neste país e perceber que, na sua casa – e na sua vida –, você é um filtro e não parte dessa lama?

Estamos vivendo o colapso de um sistema de vida que apostou na espontaneidade, na ideia de que Deus é brasileiro, na percepção de que as coisas se resolvem sozinhas e na terceirização.

Você tem feito a sua parte?

──────────────────

[1] Conceito que se tornou amplamente conhecido a partir do trabalho do sociólogo polonês Zygmunt Bauman, autor de diversas obras sobre o tema.

QUADRO 1 | Pré-teste

Sinais do surgimento da síndrome do imperador

A transformação da criança ou do adolescente no pequeno "imperador" da família pode ser identificada por uma série de sinais, que mostram que os pais estão a caminho de se tornarem escravos de uma situação insustentável. A boa notícia é que, quanto mais cedo os sinais forem identificados, mais rápido os pais podem tomar providências para mudar as relações dentro da família e oferecer uma educação saudável para seu(sua) filho(a). Se você ou seu(sua) parceiro(a) se identificar com várias das situações descritas a seguir, é hora de pensar, mudar a dinâmica da família e buscar ajuda especializada, se sentir necessidade disso. Este teste pode ser útil para fazê-lo refletir desde já sobre o padrão de educação que tem sido oferecido em seu lar e para rever seus hábitos. Depois de conferir o resultado, você poderá continuar a leitura de modo a reforçar o que já está indo bem ou ajustar o necessário para melhorar o clima na sua casa, aprimorar seu relacionamento e se sentir melhor consigo mesmo(a).

Leia as frases a seguir e classifique-as de acordo com a seguinte escala, de acordo com o grau de identificação:

- **0** nunca penso assim
- **1** penso assim poucas vezes
- **2** penso assim frequentemente
- **3** penso assim sempre

1 Você e seu(sua) parceiro(a) brigam constantemente sobre regras, limites ou papéis dentro de casa.

2 Você se sente sem voz em sua própria casa.

③ É quase insuportável ver seu(sua) filho(a) chateado(a) ou frustrado(a).

④ Você crê que é seu papel fazer seu(sua) filho(a) feliz.

⑤ A coisa mais importante da sua vida é agradar seu(sua) filho(a).

⑥ Você percebe que já não tem tempo para si.

⑦ Sua vida anda vazia de sentido.

⑧ A maior parte do orçamento familiar destina-se a mimos, presentes para seu(sua) filho(a) e atividades dele(a).

⑨ Sua vida sexual praticamente inexiste.

⑩ Você começa a brigar constantemente com seu(sua) parceiro(a), e vocês já nem sabem mais por que estão em conflito.

⑪ Quem costuma dar a última palavra na decisão dos passeios, programas e viagens da família é seu(sua) filho(a).

⑫ Você tem medo de falar verdades para seu(sua) filho(a).

⑬ Seu(sua) filho(a) não ajuda em nada nas tarefas domésticas e larga as coisas pela casa para alguém arrumar.

⑭ Você sente que seu fim de semana gravita em torno dos programas do(a) seu(sua) filho(a).

⑮ O desamparo é uma sensação bastante presente em você, e a angústia e o medo do futuro tomam conta de boa parte das suas conversas.

⑯ A maior parte dos seus grupos de WhatsApp dizem respeito a questões do(a) seu(sua) filho(a).

⑰ O casal não tem mais espaço para si – você não coloca seu(sua) parceiro(a) em primeiro lugar e vice-versa.

⑱ Você sente que seu quarto não lhe pertence mais.

⑲ Você constantemente publica coisas bonitas, engraçadas ou especiais sobre seus(suas) filhos(as) e se sente ansioso(a) pelo que os outros vão achar.

⑳ Seus amigos são todos ligados aos pais dos amigos dos seus(suas) filhos(as), e quando estão juntos é sobre eles(as) que vocês conversam.

RESULTADO

DE 0 A 19 PONTOS: Muito bem! Parece que você tem conseguido um bom equilíbrio entre afeto e firmeza. Seus(suas) filhos(as) estão no lugar deles(as), e a liderança em casa é sua. Há questões e conflitos – o que faz parte da vida –, mas você não se perde neles. Com este livro, você vai se sentir ainda mais forte e preparado(a) para educar bem e do modo como acredita.

DE 20 A 39 PONTOS: Cuidado! Retomar o controle da sua vida, o bem-estar do seu lar e a sua paz de espírito ainda é possível. Mas para isso você vai precisar reavaliar seu papel dentro de casa e nas suas relações. Lembre-se de que você é quem deve comandar a casa e ter a palavra final. Permita-se aprender com nossas dicas e, se precisar, peça ajuda aos profissionais da escola e/ou a psicólogos(as) de sua confiança. Esta leitura pode ajudá-lo(a) muito a pensar e repensar os hábitos e as rotinas da sua vida pessoal e familiar.

ACIMA DE 40 PONTOS: Procure ajuda dos profissionais da escola e/ou de psicólogo(as) de sua confiança, pois, com esse clima em sua casa, há sérios riscos de que esteja se formando um pequeno imperador ou uma imperatriz, e não uma pessoa com autonomia. Com esse perfil de crenças e atitudes você se sente desgastado(a), desmotivado(a), desempoderado(a), e isso não é bom nem para você nem para os(as) seus(suas) filhos(as). Neste livro, o convidamos a adotar uma nova postura de vida, aquela em que você terá respeito por si mesmo(a), voz, vez e valor, dentro e fora de casa.∎

Foto: Shutterstock/Studio Grand Web

CAPÍTULO 2

Presente e futuro
Para onde estamos indo?

Há bastante tempo nossa sociedade vem passando por transformações profundas, que se sucedem em ritmo cada vez mais acelerado. Vivemos a era da informação e do conhecimento, em que a tecnologia ocupa progressivamente mais espaço no cotidiano, facilitando a conexão entre as pessoas, por um lado, e estimulando o individualismo e o imediatismo, por outro. Nosso dia a dia é cada vez mais complexo, competitivo, desafiador, exigente e conectado.

Por tudo isso, o mundo que temos hoje diante de nós é instável e "líquido" – ou seja, tanto os fatos quanto os relacionamentos são mais e mais inconstantes, não duradouros, e tudo parece estar propenso a mudar de maneira cada vez mais rápida e imprevisível. Pelo livro *The Future of the Professions* [*O futuro das profissões*], de Daniel Susskind e Richard Susskind, o futuro deve se manter no mesmo ritmo, de acordo com a Lei de Moore, segundo a qual a capacidade de processamento de informações dobra a cada 18 meses – embora ela se refira especificamente às tecnologias dos computadores, da informação e da comunicação, pode ser extrapolada para as demais áreas da humanidade (saiba mais no Quadro *A Lei de Moore*, p. 33).

Temos vários exemplos de como isso se tornou realidade no nosso cotidiano. Até pouco tempo, usávamos disquetes para guardar informações; hoje, usamos o armazenamento na nuvem. Antes, procurávamos endereços no guia de ruas em papel; agora, usamos o Waze, o Google Maps ou outros aplicativos. Ao fazer uma pesquisa para a escola, buscávamos informações em enciclopédias; atualmente, procuramos no Google e em bibliotecas virtuais. Assim, fica fácil perceber como o mundo mudou rapidamente de alguns anos para cá.

O cérebro humano, por outro lado, tem uma tendência para buscar previsibilidade, controle e segurança, atributos que nos dão sensação de controle geral sobre a vida. E isso é muito importante para nós, porque, diante do caos, tendemos a entrar em estresse. Por isso, é muito comum que as pessoas tendam a negar as mudanças, sobretudo do ponto de vista profissional. Porém, está bem claro que não existe profissão que não sofrerá mudanças em virtude das novas tecnologias de informação e comunicação (TICs) e da inteligência artificial, já presentes em nosso dia a dia.

É inegável o impacto dos aplicativos – como o Uber, Cabify, 99 e outros, além das bicicletas, patinetes e afins – sobre o mundo dos transportes. O Airbnb vem obrigando muitas empresas do ramo hoteleiro a repensar seus custos e sua forma de trabalhar e de se comunicar com os clientes. Da mesma maneira, hoje há sites de esportes, notícias e economia cujos conteúdos são desenvolvidos por inteligência artificial. Isso significa que, hoje em dia, praticamente todos nós temos que trabalhar com novos sistemas de interação e tecnologias, ou seja, precisamos ser capazes de nos reinventar constantemente se quisermos nos manter dentro do mercado de trabalho. Um profissional de turismo que não faça uso do TripAdvisor, do Google Trips e de outros aplicativos de viagem e hospedagem poderá ser substituído muito rapidamente – ou, no mínimo, sofrerá uma enorme concorrência.

Os avanços tecnológicos têm impactos significativos no mercado de trabalho, que tem se tornado mais complexo, competitivo, fragmentado e desafiador. Uma de suas características mais marcantes é a ausência de barreiras físicas e geográficas, possibilitada pelas novas tecnologias, que permitem que uma pessoa more em um país e trabalhe para empresas ou pessoas situadas em outras partes do mundo.

Outra é o constante desaparecimento e surgimento de profissões e ocupações, também provocados, em grande parte, pelos avanços tecnológicos e científicos. O futurista Thomas Frey prevê que, até 2030, mais de 2 bilhões de postos de trabalho deixarão de existir, ou seja, cerca de 50% do total existente hoje no planeta. Muito disso se deve à crescente automatização de diversas atividades. Para Maurício Benvenutti, autor do livro *Incansáveis*, praticamente todos os trabalhos que puderem ser escaláveis – isto é, produzidos em escala, em quantidade, com grandes ganhos para a produtividade –, agilizáveis e reinventados pela tecnologia o serão. Estima-se que cerca de sete em dez pessoas estão atualmente em empregos com os quais simplesmente não podemos saber o que vai acontecer.[1]

Houve um tempo em que o robozinho de limpeza dos Jetsons era um sonho distante. Hoje já temos aspiradores de pó e muitos outros aparelhos domésticos que trabalham sozinhos. Já é uma realidade, em teste, caminhões elétricos controláveis a distância. E motivos para isso não faltam. Só para se ter uma ideia, um caminhão normal tem, em média, mais de 15 mil componentes e com frequência polui bastante. Já um elétrico tem apenas 15 peças em média, e fabricantes como Tesla e Mercedes estão avançando rapidamente no sentido de automatização de tudo o que for possível.[2] Isso barateia, otimiza custos e facilita o controle de processos.

Portanto, a inteligência artificial veio para ficar, já que as máquinas custam menos que trabalhadores humanos para as empresas, aumentam a produtividade, não tiram férias, não

---

[1] Disponível em: <https://bit.ly/2Kb1Yu9>. Acesso em: 22 abr. 2019.
[2] *Superinteressante*, v. 391, p. 51, jul. 2018.

engravidam, não adoecem, não fazem greves, não se rebelam e possibilitam grande escala de produção.

Porém, isso não significa necessariamente uma má notícia: ao mesmo tempo que a tecnologia acaba com muitos postos de trabalho, ela também gera novas oportunidades, abrindo outras possibilidades profissionais para pessoas que criam, usam, mantêm, reinventam, vendem e recriam as novas formas de trabalhar. O Departamento do Trabalho dos Estados Unidos (U.S. Department of Labor) aponta que 65% dos estudantes de hoje vão atuar, no futuro, em profissões ou funções que ainda não existem. Acredita-se que, até 2030, aproximadamente 85% das profissões serão novas, ou seja, ainda nem foram criadas (saiba mais sobre o tema no Quadro *As profissões do futuro*, p. 34).

Desafios para o sucesso

É claro que esse cenário gera, para muitos, apreensão, ansiedade, uma sensação de cansaço e solidão. E, diante de ameaças, não são poucos os que tendem a negar e a se proteger com mecanismos de defesa. Um deles é a melancolia e o ressentimento. Outro é a negação das modernidades. Porém, o mais inteligente a fazer é se empenhar em entender o novo mundo que se avizinha e se preparar para ele. Afinal, a pergunta não é "E se...?", e sim "Quando?" nos depararemos com novos desafios e oportunidades. E, então, devemos estar prontos para fazer nossas escolhas. Por meio do pensar, do sentir e do agir, nos definimos e redefinimos a cada dia e, assim, podemos estar abertos às oportunidades que forem se apresentando.

Como competir com a inteligência artificial? Se formos capazes de investir em nossas redes de relacionamento (para formar alianças de profissionais consistentes e inteligentes) e em nossa capacidade de nos comunicar (uns com os outros e com o nosso mercado) e se soubermos criar ou usar a tecnologia, teremos pela frente um mundo desafiador e interessante. Em resumo, é a atitude empreendedora a ação – no sentido de pegar a vida nas mãos e fazer acontecer – que nos permitirá sair da angústia.

Hoje, sites como Fiverr, Freelancer.com e 99freelas, entre outros, permitem que profissionais liberais ofereçam seus trabalhos a todas as partes do mundo. Plataformas como O Pote, Kickante, Catarse e outras possibilitam a captação de recursos para executar projetos, realizar cirurgias, criar novas empresas e muito mais. Há todo um mundo de oportunidades para quem quer empreender e se dispõe a oferecer algo significativo aos demais, sabendo se relacionar, aprender e reaprender sempre. Não há espaço para o egoísmo ou para a acomodação neste novo mundo do compartilhamento, da economia colaborativa, da experiência, da avaliação constante de nossa performance, o mundo da revolução 4.0.

Por outro lado, sob uma ótica acomodada, temos todos os motivos para olhar o futuro com pessimismo, pois as coisas não serão mais fáceis, nem mais previsíveis, nem mais leves, nem mais simples. Pessoas e profissionais acomodados simplesmente correm o risco de ser ultrapassados, da mesma forma como as listas telefônicas perderam espaço para os buscadores como Google e Yahoo, e os guias de ruas, para o Waze e o Google Maps. Yuval Harari em seu livro *As 21 lições para o século 21* fala que uma das maiores ameaças ao ser humano diante desse cenário futuro é a dispensabilidade.

Tudo isso traz uma lição de casa extra para pais e educadores, já que o mundo novo está aí e nos exige um novo olhar, novas atitudes e novas formas de relacionamento com a vida e o viver. É preciso preparar o jovem para lidar com a mudança, ser empreendedor, aprender a conviver e fazer parcerias. Ou seja, ajudá-lo não somente a desenvolver sua inteligência cognitiva mas também a investir em outras, tais como a inteligência emocional e a inteligência social, favorecendo sua capacidade de trabalhar bem com as competências socioemocionais, como inclusive prevê a nova Base Nacional Comum Curricular (BNCC), aprovada pelo Conselho Nacional de Educação (saiba mais no Quadro *O que são competências socioemocionais*, p. 36. Sobre a relação delas com a BNCC, ver Capítulo 6).

Desenvolver essas competências é absolutamente fundamental, em virtude da pouca oferta de emprego e da falta de segurança no mercado de trabalho – não apenas pelas crises econômica e política atuais mas também pela forma como o mundo vai caminhando para uma flexibilização das leis trabalhistas. Isso significa que uma pessoa que, diante de um mundo tão líquido e com mudanças tão velozes, não tenha um eixo interior bastante sólido no qual se apoiar, vai ter muita dificuldade de conviver e trabalhar no futuro. Ironicamente, essas bases sólidas são justamente a capacidade de criar e recriar conhecimentos, um caráter bem fortalecido, valores bem claros e habilidade de se relacionar com os mais diversos tipos de pessoas e cenários da vida, fatores que a sala de aula (a escola) e a sala de casa (a família) podem ajudar a desenvolver.

E, como dissemos anteriormente, não adianta desejar que os filhos aprendam essas novas competências se os adultos que os criam também não as praticarem.

Um dos temas mais importantes a ensinar aos filhos é que o sucesso é uma construção a ser assumida por cada um de nós. E que ele tem dois lados com a mesma importância. Quanto seu filho vai valer no mercado de trabalho, daqui a alguns anos? Isso não dependerá tanto da profissão que escolher, e sim do conjunto de competências que ele for capaz de desenvolver.

Pense em uma moeda. No lado da "coroa", o racional, estão a formação acadêmica, os cursos extracurriculares, os conhecimentos gerais, as atividades solidárias, o domínio da língua portuguesa, do inglês e de outros idiomas e da informática, da programação, além das leituras. No lado "cara", o socioemocional, estão os valores, os comportamentos e as atitudes, a iniciativa, a automotivação, a honestidade, a criatividade, o comprometimento, a resiliência, o equilíbrio emocional, o empreendedorismo, a empatia.

Com esses dois lados bem desenvolvidos, uma pessoa pode se empoderar e, assim, desenvolver e realizar um projeto de vida e uma existência com sentido. E, dessa forma, enfrentar as dificuldades que surgirem em sua vida, confiando nas próprias competências e acreditando que alcançará seus objetivos a partir de seu caráter fortalecido e de seus recursos acadêmicos, pessoais e espirituais.

Por outro lado, as crianças mimadas, os adolescentes folgados, os chefinhos, os pequenos imperadores, os filhos tiranos não poderão contar com seus pais para refrear as transformações pelas quais o mundo está passando. Por isso, desenvolver competências socioemocionais que permitem que nos aproximemos da melhor versão de nós mesmos e nos reinventemos com atitude empreendedora é o único caminho para nos mantermos em um mercado que muda avassaladoramente. Da mesma forma como são necessários vários anos para aprender matemática, língua estrangeira ou ciências, todas as competências anteriormente citadas também levam anos para serem desenvolvidas. É preciso plantar e cultivar para poder colher.

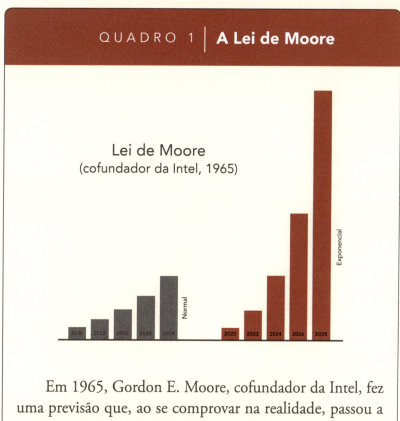

QUADRO 1 | A Lei de Moore

Em 1965, Gordon E. Moore, cofundador da Intel, fez uma previsão que, ao se comprovar na realidade, passou a ser chamada de Lei de Moore. Segundo ele, a capacidade de processamento dos chips de computadores teria um aumento de 100%, pelo mesmo custo, a cada período de 18 meses. Esse padrão se mantém, e especialistas acreditam que vá permanecer até, no mínimo, o ano de 2021.

A Lei de Moore acabou se tornando um objetivo para as indústrias de semicondutores, fazendo com que elas destinassem muitos recursos para alcançar sua previsão. Acredita-se que, sem essa lei, talvez não tivesse havido um desenvolvimento tecnológico tão acelerado e com custos cada vez mais acessíveis.

QUADRO 2 | **As profissões do futuro**

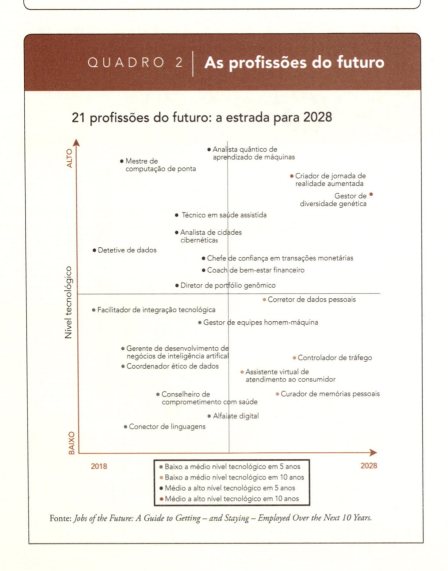

Fonte: *Jobs of the Future: A Guide to Getting – and Staying – Employed Over the Next 10 Years.*

O gráfico mostrado anteriormente, desenvolvido pela empresa americana Cognizant, uma das principais consultorias do mundo especializadas em negócios da era digital lista algumas das profissões que serão necessárias no futuro e sua posição em relação à tecnologia, bem como a probabilidade de seu surgimento nos próximos dez anos.

Com essa análise, detalhada no relatório *21 profissões do futuro*, o objetivo da Cognizant é mostrar que os empregos vão mudar em razão das novas tecnologias mas não desaparecerão. E novas funções vão surgir, justamente para gerenciar tais tecnologias, porque elas não podem ser criadas nem funcionar sozinhas, sem pessoas por trás. Entre essas atribuições, estão: gerente de desenvolvimento de negócios de inteligência artificial (IA), técnico de assistência médica assistida por IA; analista de cibercidades, analista de aprendizado de máquina quântica, construtor de viagem de realidade aumentada (RA), mestre em computação na borda,[3] gerente de equipes homem-máquina, oficial chefe de confiança, corretor de dados pessoais, treinador de bem-estar financeiro... só para citar algumas.

De acordo com o estudo, três pilares são comuns a todas essas novas funções e são fundamentais para ajudar os trabalhadores a permanecerem relevantes ou não dispensáveis, não importando as novas tecnologias que surjam no horizonte, uma vez que as pessoas querem o toque humano em suas relações:

- **Treinamento:** aqueles que gostam de orientar e ajudar as pessoas a melhorar diferentes aspectos de sua vida, como finanças e saúde, devem aprimorar essas habilidades.

---

[3] Na qual os dados são processados pelo próprio dispositivo, computador ou servidor local, em vez de serem transmitidos para um *data center*.

- **Cuidado:** trabalhadores com inteligência social e capacidade de compreender processos complexos estarão em alta para melhorar a saúde e o bem-estar das pessoas.
- **Conexão:** profissionais com mentalidade colaborativa serão fundamentais para ajudar a conectar os pontos em um local de trabalho liderado pela tecnologia, construindo pontes entre homem e máquina, mundo físico e virtual, comércio e ética.

Ou seja, as competências socioemocionais serão fundamentais mesmo no mundo altamente tecnológico do futuro.

QUADRO 3 | **O que são competências socioemocionais**

De acordo com a Organização para a Cooperação e o Desenvolvimento Econômico (OCDE), competências socioemocionais – também chamadas de "competências não cognitivas", "caráter" ou "qualidades pessoais" – são as habilidades que cada pessoa tem para alcançar seus objetivos, para se relacionar com os outros e trabalhar em grupo e para administrar e controlar suas emoções. Entre elas, estão o foco, a disciplina, a proatividade, a autonomia, a flexibilidade, a sociabilidade, o autocontrole, a empatia e a curiosidade. Em outras palavras, elas tornam o indivíduo capaz de viver e conviver em paz e harmonia com os demais. Essas competências podem ser desenvolvidas por meio de aprendizagem formal e informal, ou seja, tanto no âmbito da escola como no da família e da comunidade. Voltaremos mais adiante a esse tema.

DESTAQUES

Precisamos de segurança, controle e previsibilidade para crescer de forma saudável.

Novos tempos pedem novas competências.

Competências cognitivas deverão andar ao lado das competências socioemocionais.

Aproximar-se da melhor versão de si mesmo e se reinventar com atitude empreendedora é o único caminho para se manter em um mercado que muda avassaladoramente.

Foto: Shutterstock/Valery Sidelnykow

CAPÍTULO 3

A realidade das crianças e dos adolescentes imperadores
Perigos à vista

Nos últimos anos, verificou-se um aumento no número de pessoas que se enquadram no perfil narcisista em um contexto marcado pelo imediatismo, pelo consumismo, pela impulsividade e por uma perda do senso de comunidade, o que pode culminar em um alto índice de solidão. Também tem sido marcante o crescimento do consumo de drogas lícitas, como antidepressivos, ansiolíticos e outras, prescritas para tratar de sintomas depressivos e/ou de ansiedade, que já atingem cerca de 20% das pessoas.[1] Registra-se, ainda, um aumento generalizado do perfil "posso, mas não quero" e uma alta no número de suicídios (ver mais na p. 15) e na obesidade entre crianças e jovens.

Contribui para esse cenário negativo a falta de uma boa educação que promova o desenvolvimento pleno e saudável das nossas crianças e adolescentes, baseado no equilíbrio entre competências socioemocionais e cognitivas.

---

[1] *Depression and Other Common Mental Disorders Global Health Estimates*, World Health Organization.

A competência socioemocional pode efetivar a potencialização da competência cognitiva, que permite ao indivíduo acessar, manusear e reproduzir construtivamente o conhecimento. Antônio Damásio, no livro *E o cérebro criou o homem*, explica muito claramente que não há distinção entre cérebro e corpo: eles são uma coisa só, uma unidade. Para aprendermos algo, nosso corpo precisa sentir que se trata de algo importante, a fim de que o cérebro recrute neurônios com aquele objetivo. Nós só aprendemos algo se sentimos valor naquilo – se tem um valor biológico, se é útil para nossa vida, se tem significado.

Teoricamente, é a escola que cuida das competências cognitivas, uma vez que essa instituição foi criada como um instrumento de reprodução dos valores sociais vigentes. Já as competências socioemocionais sempre foram transmitidas natural e instintivamente pela família. Por exemplo: antigamente, as crianças aprendiam que tinham que ajudar o pai ou a mãe a tirar a mesa, respeitar os mais velhos, mostrar respeito e consideração por seus professores, seguir horários, rituais e hierarquias. Além disso, as famílias eram mais numerosas e conviviam mais, oferecendo toda uma série de experiências de relacionamento, pertencimento e afetividade. Em geral, a tarefa de criar os filhos era mais da mãe, figura feminina, enquanto o pai, figura masculina, era quem impunha os limites, dava a última palavra.

Mudança nos papéis familiares

O que vem acontecendo, especialmente do ano 2000 para cá, é que uma série de mudanças afetou essa referência familiar. Uma delas é o grande empoderamento da mulher, paralelamente a um desempoderamento da figura masculina (simbolicamente falando). Isso se vê no enfraquecimento da lei, da regra, do limite e da autoridade, de forma mais ampla. Com a entrada da mulher no mercado de trabalho, muitas mães saíram de casa, e hoje, quem cuida da educação informal dos filhos é... praticamente ninguém.

É também por isso que a criança de hoje tem mais dificuldade de aprender e de conviver que a de 20 ou 30 anos atrás. Antes se dizia "tem que aprender", "obedeça", "estude", "respeite", "precisa fazer"; essa percepção está bastante esquecida atualmente porque, se antes a família determinava o que a criança devia fazer, hoje essa família perdeu muito de sua força. Com isso, ficou mais difícil, para os pais, educar os filhos para atuar neste novo mundo do conhecimento, em que as habilidades socioemocionais são tão importantes. Isso contribui para uma terceirização dessa tarefa para a escola. Afinal, tudo o que dá errado na sociedade vira currículo escolar. Assim, os professores viraram educadores, e muitos pais e mães terceirizaram seu papel, delegando-o para a escola, sem, porém, autorizá-la a realmente impor limites, o que gera prejuízos a todos.

Vale ressaltar que não há aqui nenhuma crítica ao empoderamento feminino, trata-se apenas da constatação de um fato. Criou-se, na educação informal dos filhos, um vácuo que a escola sozinha não é capaz de ocupar, embora muitas famílias esperem isso. No mundo ideal, tanto o homem como a mulher deveriam expressar sentimentos e adotar posturas firmes, ser pessoas amorosas. Mas no mundo real atual, poucos querem assumir o papel de autoridade, e os filhos ficam sem orientação. Uma melhor divisão de tarefas, uma atitude colaborativa, o resgate do companheirismo na vida familiar, tudo será essencial para o melhor equilíbrio emocional de todos. Já não nos bastam papéis "do homem" ou "da mulher", e sim dos adultos que são responsáveis. Essa é a mentalidade que devemos construir para conquistar uma verdadeira familiaridade com a qual todos sejam corresponsáveis, solidários e parceiros.

Em paralelo a isso, nos últimos anos, atendendo à necessidade de uma sociedade gerontofóbica e mercantilista, também cresceu muito o empoderamento das crianças e dos jovens, o que serve a uma venda irracional e infindável de produtos e serviços.

O mau uso das redes sociais pode criar novas demandas ao instigarem um desejo irrefreável por exposição e *status*. E quando uma criança e um adolescente são atendidos o tempo todo, fica mais fácil vender produtos, já que eles influenciam – quando não dominam – os hábitos e o consumo da família. Como ainda não têm a maturidade formada, eles exigem *tudo* para se divertir e para aparecer bem nas redes sociais, e os pais, enfraquecidos pelo comodismo, pela culpa e pelo cansaço, cedem aos apelos dos filhos.

O índice de endividamento das famílias brasileiras, em agosto de 2018, já passava de 60% (Pesquisa de Endividamento e Inadimplência do Consumidor), apurada pela Confederação Nacional do Comércio de Bens, Serviços e Turismo), e destas, quase 10% não conseguem pagar as contas em dia. Que tipo de valores se ensina assim? Como fica o estresse dos pais com essa situação? Quando o desejo dos filhos impera, os pais se tornam servos estressados e entristecidos, angustiados e desunidos. Claro que não se pode atribuir aos filhos todos os motivos referentes ao endividamento familiar, porém, uma maior consciência dos pais sobre seu papel e seus valores pode trazer contribuições positivas nesse cenário.

Na escola, o problema se repete. O professor não consegue transmitir todos os conteúdos porque o aluno já vem empoderado de casa e também com o cérebro estressado por um desejo enorme de *status*, alimentado pela cultura narcísica das redes sociais, que exacerbam a comparação com os outros, e sem vínculos afetivos consistentes. Quem fala a respeito é o jornalista Paul Tough, no livro *Uma questão de caráter*. Ele demonstra que muitas crianças e adolescentes não contam com apoio emocional e afetivo em casa e têm alta exigência por *status*. Esse esgarçamento faz com que o filho se sinta fraco e não consiga, sozinho, ter o foco e a energia necessários para estudar e se desenvolver de forma saudável. Por não se sentirem próximos aos pais, ou por terem que atender a uma necessidade insana de popularidade, muitas crianças e adolescentes vivem angustiados. E, nesse estado, o cérebro tem muita dificuldade de focar, estudar, aprender, enfim. No lugar de usar a energia cerebral para pensar, aprender, criar, os filhos mimados e abandonados têm grande chance de acabar se amparando em vícios: celulares, *games*, telas, açúcar, compras e outros. Sua mente não está voltada a aprender, ao futuro, e sim cimentada no presente e na imperiosidade do prazer imediato. E ela se torna refém, viciada em ser atendida.

Outro complicador para esse cenário já bastante desafiador é que tanto os pais quanto as mães passaram a se ver mais como indivíduos, ou seja, estão mais inclinados a realizar desejos pessoais, como estudar, praticar atividade física, ter vida social. Além disso, as exigências profissionais aumentaram demais, o que, aliado às crises econômicas sucessivas, tem gerado nas pessoas um medo avassalador de perder o emprego. Com isso, sobra menos tempo e menos disposição para o convívio familiar – e para a educação dos filhos.

Mais: há questões relacionadas à própria fase da vida em que os pais se encontram, especificamente com a chegada dos filhos à adolescência. Um estudo realizado por pesquisadores americanos mostrou que os níveis de felicidade das pessoas têm a forma de um U, com picos no início e no fim da vida, e o ponto mais baixo se encontra na meia-idade, período entre os 45 e 50 anos.[2] Em geral, essa é a fase em que as pessoas têm mais gastos financeiros, seja por terem filhos em idade escolar, seja por questões de saúde; em que o corpo começa a mudar, perdendo a vitalidade dos anos de juventude; e em que aumentam as preocupações com o futuro. Isso tudo, somado ao estresse provocado pelo aumento da violência, gera um sentimento crescente de vulnerabilidade.

Com essa sensação de desempoderamento real, é tentador, para os pais, se projetarem nos filhos e colocarem neles o alvo de sua satisfação. Com isso, podem acabar tirando da criança e do

---

[2] BLANCHFLOWER, David G.; OSWALD, Andrew J. Is Well-being U-shaped Over the Life Cycle? *Social Science & Medicine*, Elsevier, v. 66, n. 8, p. 1733-1749, abril, 2008.

adolescente a chance de se desenvolverem plenamente como seres autônomos e de atingirem a melhor versão de si mesmos. Dessa maneira, está formado o contexto que leva ao desenvolvimento da síndrome do imperador.

A síndrome do imperador

Síndrome diz respeito a um conjunto de fatores ou sintomas que costumam aparecer e durar por um tempo, não apenas em momentos pontuais, gerando um prejuízo visível para a saúde física e/ou mental do indivíduo – como ocorre na síndrome do pânico, por exemplo. Assim, definimos a síndrome do imperador como um conjunto de sintomas que envolvem imaturidade psicológica, intolerância com regras, limites e leis, irritabilidade diante de frustrações, insegurança emocional e atitudinal, insatisfação generalizada, ingratidão com os demais e a vida, inadequação para o mercado de trabalho, incapacidade de lidar com frustrações, instabilidade para tomar decisões, imperatividade social.

Percebemos esses sinais no indivíduo que foi tratado como alguém extremamente especial, como se realmente fosse um imperador, um príncipe, uma princesa. Quando a vida – representada na figura do amiguinho, do treinador, da professora, do guarda de trânsito... – mostra que esse indivíduo é um cidadão igual aos outros, ele não aceita. Nesses momentos, reage com violência contra si ou contra os outros. Também pode acabar bebendo, comendo e dormindo demais. Sem ter desenvolvido o autodomínio, acaba deixando de sonhar, de estudar, de tentar, de se organizar para a vida. Com autoestima baixa, ele percebe que é fraco. E aí começa a racionalizar e dizer "eu nem queria mesmo", "não preciso", "é besteira".

Os pequenos imperadores não foram treinados a esperar, a ter empatia, a negociar, a criar, a buscar por si mesmos, a resolver as próprias questões, a honrar seus compromissos. Ou seja, não houve em casa um treinamento de moralidade, de empreendedorismo, de proatividade, de cidadania. Então, no momento em que são frustrados pelo outro – seja o segurança da balada, o sinal de trânsito, o professor, o namorado ou a namorada –, eles se sentem no direito de agredi-lo. Trata-se de uma cegueira em relação ao outro: não se vê a outra pessoa, só a própria necessidade, narcísica, de passar por cima de quem ou o que quer que seja.

Muitas crianças são tratadas hoje como príncipes ou princesas. Nas redes sociais, muitos pais usam como foto de perfil uma imagem do filho ou da filha. Essas são manifestações comuns na cultura brasileira, que, por vários fatores, coloca a criança no centro da família. "Meu filho é a coisa mais importante da minha vida", "pelo meu filho eu faço qualquer coisa", "fazer a minha filha feliz é o que eu mais quero", são mantras comuns da família atual.

O que era para ser um ato de enobrecimento acaba virando um empobrecimento: se a mãe precisa ser perfeita, seu filho também deve ser. Para isso, ela tem que suprir todas as necessidades dele, não pode deixar lhe faltar nada. O filho precisa ter todos os privilégios, todas as vantagens. No intuito de serem "legais", muitos pais e mães se esquecem de ser, antes de tudo, leais: a si mesmos, aos combinados, à escola, à lei. Pais que querem a todo custo ser legais aceitam tudo em nome da pretensa felicidade e do desejo de serem amados pelos filhos, provocando, ironicamente, o oposto disso, pois filhos imperadores, que dominam os pais, não desenvolvem nem a gratidão, nem a empatia, nem a paciência, elementos essenciais a uma vida boa. Pais que não são leais àquilo que promove saúde, respeito e educação acabam por pagar um alto preço. Os pais se tornam os betas, enquanto os filhos viram os alfas da casa.

Outro fator é a crença no rápido, no simples e no atalho, muito inspirada na cultura norte-americana, extremamente competitiva. Assim, quanto antes o filho falar e souber nadar, melhor. Quanto mais esportes ele fizer, quanto mais habilidades tiver, mais admirado será. Isso é o oposto da cultura francesa, por exemplo, que aposta na autonomia, no tempo e em uma formação que venha de dentro para fora – ou seja, que deixa a criança resolver seus problemas por si. Muitos pais, por não terem consciência de seu papel educativo, querem para seus filhos todas as vantagens e privilégios do modo mais acelerado possível, já que acreditam que isso é bom para os jovens.

Um terceiro fator é que temos hoje a percepção bastante frequente de que a vida do adulto está chata. Todo dia ele vê seus impostos aumentando, os empregos diminuindo, os amigos perdendo postos de trabalho. A vida adulta não está fácil para ninguém. Então, algumas pessoas buscam driblar suas questões existenciais – seus problemas no casamento, as dificuldades geradas pela crise da meia-idade e pelo trabalho –, dando um sentido para a própria vida ao agradar o pequeno ser que é o filho.

Essa tentativa de compensar o próprio vazio preenchendo todas e quaisquer necessidades dos filhos é um mergulho narcísico. De fato, é gostoso para qualquer pai, qualquer mãe, ver o filho feliz. É uma sensação agradável, e isso acaba se tornando um vício, porque o desejo da criança não tem fim. Esse pai e essa mãe não entendem a diferença entre prazer e felicidade. A felicidade é algo construído, de dentro para fora, pelo próprio indivíduo. E muita gente a confunde facilmente com o prazer, daí o vício em agradar. Porém, é importante que os pais entendam que não é possível driblar as angústias da vida. A reflexão sobre si mesmo, o autoconhecimento é necessário para uma vida boa. Como disse o filósofo grego Sócrates, "uma vida irrefletida não vale a pena ser vivida". Afinal, cada um tem que construir a própria história, e não tomar emprestada a vida do filho.

Outra questão é que, em nosso país, os padrões, as referências e os limites nas relações, sistemas e instituições muitas vezes não são claros. Somos o país do espontâneo. Falta entre nós um padrão educacional e a definição de um papel claro para o pai e para a mãe. Essa espontaneidade muitas vezes torna os pais escravos dos filhos, o que reforça a síndrome do imperador. Se um dia pode, mas outro não; se a mãe não deixa, mas o pai aceita; se a escola não permite, mas os pais deixam, os filhos ficam perdidos. E se perdem.

Como deixar a vida de uma família ser definida pela vontade de uma criança ou de um adolescente que nem tem ainda o córtex pré-frontal bem formado? O córtex pré-frontal é a área do cérebro que mede consequências, que analisa causa e efeito, que avalia as situações no médio prazo, que estabelece o freio moral. Essa área só se define de forma completa entre os 20 e os 30 anos de idade. Por isso, uma criança, dependendo da idade, não tem a percepção de que comer demais faz mal, de que xingar o outro não é adequado, de que o direito dela é tão importante quanto o do colega. É o adulto que deve dizer e mostrar isso para a criança. Os pais, no entanto, por gostarem de ver os filhos felizes, muitas vezes não o fazem para não se indisporem com eles, para não enfrentarem cara feia ou birra, para não terem trabalho – pois educar e impor limites dá muito trabalho. Mas o que não se pode esquecer é que, no processo de educação, o que dá trabalho fazer vai dar muito mais trabalho se não for feito.

Educar uma criança está entre as atividades mais trabalhosas e estressantes que existem. E os pais que passam pela primeira vez por esse processo não têm a percepção das consequências de sua omissão e de sua ambivalência em relação aos filhos. Eles ainda não conseguem ver os efeitos disso. Então, acham que o filho é espontâneo, um líder, tem vontade. Essas, aparentemente, são qualidades desejadas para um empreendedor. O que os pais não percebem é que o excesso dessas características gera outro efeito: o filho não vai ser líder de ninguém porque, para liderar o outro, é preciso liderar a si mesmo. Aquele que não tem autocontrole jamais poderá controlar uma equipe, um relacionamento, um time ou uma empresa.

Não é recomendado se orgulhar quando a professora diz que ninguém consegue parar uma criança, que ela manda na classe inteira, só faz o que quer, como se isso fosse uma mostra de liderança. Ao agir assim, não se percebe que ali há uma pequena imperatriz, que enlouquece a professora e não tem empatia com os colegas. Vivemos hoje não uma inversão de valores, e sim uma falta deles, de clareza sobre o que é certo e errado e sobre a diferença entre ter limites e ser um ditador. Isso leva a uma negação frequente das regras, o que tem um impacto ruim não só na vida da criança ou do adolescente mas também em toda a sociedade.

Uma criança que cresce correndo entre as mesas de um restaurante, gritando em espaços públicos, usando o celular ou *game* em um volume alto nos locais públicos, que faça o que quiser em qualquer ambiente não desenvolve o autocontrole.

Em alguns casos, os tutores que têm um filho imperador se regozijam disso, porque têm uma leitura errada da situação. Acham que é bonitinho, assim como antigamente se pensava que era bom o bebê ser gordinho – hoje já se sabe que isso pode trazer uma série de problemas que vão muito além da estética. Atualmente, o equívoco é achar que criança feliz é aquela que faz só o que quer, que tem vontade e é autêntica, desde bebê. Só que a criança (por si só) não tem condições de entender as consequências de seus desejos infindáveis nem de perceber que a vida é finita. Os filhos merecem aprender que devemos encontrar alegria e prazer em relações harmônicas, solidárias e empáticas e em momentos em que vivemos o simples e, dele, apreendemos a felicidade. Em resumo, que somos verdadeiramente felizes com o ser e não o ter, com o conviver e não o comandar.

> Na prática, a felicidade é efeito do autodomínio. Feliz é aquele que sabe manejar suas próprias emoções, que vai atrás de seus sonhos, que sabe manter bons relacionamentos. Feliz é quem faz o mundo feliz com sua presença, com sua palavra, com seus gestos.
>
> O grande problema do tipo de situação que descrevemos anteriormente é que a vida em família acaba se tornando mais estressante, e isso está afetando cada vez mais as crianças. Trata-se do resultado de uma postura narcísica dos pais, que acreditam que é seu papel e dever fazer o filho feliz a qualquer custo. Ao receber uma nota baixa, melhor do que se queixar em grupos de WhatsApp é sentar com o filho e debater estratégias para rever a situação. Em situações como feriados, não faz sentido solicitar o abono de faltas no dia anterior. Nessa mesma linha, não se deve entender que as

> regras, leis e limites do universo escolar sejam direcionadas a deixar os filhos infelizes. Pelo contrário: é essencial que haja um trabalho de cooperação entre a família e a escola.

Narcisismo gera desamor

Muitos pais e mães se lembram frequentemente da falta de diálogo e de carinho na própria infância, sem contar a falta de dinheiro. Antigamente, tudo era mais difícil, até ter uma boneca ou uma bola de futebol. Hoje, com mais dinheiro e crédito circulando, é muito frequente ouvir "se eu posso dar para meu filho algo que não tive, por que não?". Mas será que devemos dar tudo o que podemos oferecer? Na minha percepção, é aí que entra o narcisismo dos pais. Esta vontade, muitas vezes irrefreada, de dar tudo aos filhos não é funcional. Não faz bem. O pleno desenvolvimento físico e emocional de um ser humano decorre de estímulos adequados. Os limites são justamente uma forma de exercício que favorece o amadurecimento. Superproteger vai na contramão disso. Isso não é amor, é desamor. A superproteção é uma forma de humilhação, não de amor, pois na medida em que o filho aprende que diante de suas frustrações sempre haverá uma solução vinda de fora, ele tende a se acomodar e, com isso, se enfraquecer. Uma educação voltada ao excesso de mimos pode acabar por gerar uma sensação de infelicidade, o que é exatamente o contrário do que se pretende. Certamente, tanto o pai quanto a mãe querem que seus filhos sejam felizes, mas, ao ensinar que eles podem tudo e não devem nada, o caráter e o senso de cidadania podem ser facilmente enfraquecidos. Quem ama cuida, não abandona, não desqualifica.

Essa atitude de superproteção, muito provavelmente, vai impedir a criança de crescer com autonomia, autocontrole, cidadania. Na prática, essa criança tende a ficar imatura, porque a vida oferece limites, mais cedo ou mais tarde, para todos nós, e, se sentindo incapaz de enfrentá-los, ela tende a evitar novos desafios e fica aquém de seu potencial. Por isso insistimos que o mimo excessivo é uma forma de humilhação: ao invés de ajudar o filho a se tornar o melhor que ele pode vir a ser, acaba inibindo o desenvolvimento pleno, no sentido tanto cognitivo quanto socioemocional.

Depois de anos de mimos e privilégios, ao chegar ao ensino médio, os pais estranham que o filho não escolhe uma profissão, não sonha, não quer trabalhar, não estabelece relações humanas duradouras; já adulto, não sai de casa para montar seu próprio lar. Mas... se o filho foi criado como um passarinho frágil, em uma gaiola dourada, como querer que, do dia para a noite, ele vire uma ave forte, que saiba voar? Por isso, essa é uma questão muito séria, é uma perda da chance de se tornar adulto, autônomo. Ele acaba se tornando "adulterado", "desempoderado". É também uma forma de abandono, porque os pais prometeram uma vida sem limites, mas, quando vem o limite real – o(a) namorado(a) que termina a relação, a prova ou o vestibular em que foi reprovado(a), o time de basquete que não lhe dá espaço porque não consegue jogar bem, a multa de trânsito que o pai terá de pagar – o filho não dá conta. Ou seja, não é sustentável educar uma criança de forma superprotegida. Nessa hora, o filho se sente abandonado e se revolta contra si mesmo ou contra o outro.

Além de tudo o que foi exposto, observamos hoje uma cobrança muito grande por *status*. Os pais festejam qualquer coisa, tudo é motivo para elogiar. Com os filhos na vitrine, muitos adultos se regozijam e se sentem – eles mesmos – vitoriosos, num processo de fusão entre pais e filhos em que ambos perdem. De novo, eles fazem isso acreditando que estão tornando o filho feliz, mas, na verdade, quando criamos expectativas fora da realidade, estamos gerando infelicidade. É irrealista elogiar qualquer coisa que a criança faz, é irrealista que tudo seja motivo para uma grande celebração. Certamente é valioso reforçar quando se percebe a prática de boas atitudes, de bons valores, e é também uma grande alegria curtir com os filhos esses momentos agradáveis. O que demanda reflexão são os excessos, tanto de exposição, quanto de *status*.

O resultado disso, em médio prazo, é que a criança acabe se tornando evitativa – o transtorno evitativo acontece quando a pessoa deixa de tentar algo se há uma chance de dar errado. No livro *Sem medo de errar: as vantagens de estar enganado*, a jornalista Alina Tugend diz que é muito mais inteligente educar reforçando o esforço, a dedicação, a disciplina e a determinação que só o acerto, porque, em médio e longo prazo, o que vai determinar o sucesso de uma pessoa é a capacidade de persistir para atingir grandes objetivos, mesmo diante dos erros que acontecerem pelo caminho. Então, se o pai e a mãe valorizam tudo, se qualquer coisa é motivo para uma celebração, um presente, um parabéns, uma foto ou um grande elogio, a criança acaba aprendendo que ela precisa se esforçar muito pouco para ser o centro das atenções. A escritora norte-americana Carol Dweck, em seu *best-seller Mindset*, reforça exatamente isso: precisamos parar de elogiar a nota, o *status*, de reforçar vaidades. Pois para se sentir perfeita e aceita, a criança acaba deixando de tentar fazer o que esteja fora de sua zona de conforto. É importante, segundo ela, elogiar o esforço e a determinação. Se não der certo, os pais e educadores devem criar o lema do "ainda": "Ainda não conseguiu, tente mais um pouco", "não deu certo desta vez, na próxima você tenta de novo e vai conseguir", "parabéns por ter se dedicado, isso é excelente para o seu futuro", são formas adequadas de falar.

Há quem diga "mas eu gosto tanto de fazer meu filho feliz". O que é, então, a felicidade? Sem ter uma plena consciência sobre o que leva um ser humano a sentir uma felicidade autêntica, há quem adote uma atitude de ter nos filhos um "totem narcísico", uma referência em torno da qual tudo é decidido na família. Fazer o filho feliz torna-se a prioridade número um, mesmo ao custo de deixar de oferecer uma boa educação.

> Na verdade, há dois erros nessa postura. O primeiro: fazer o outro feliz é impossível; o segundo: eles não sabem o que é felicidade. Como já dissemos, isso pode acabar por humilhar a criança, porque, quando não deixam o filho crescer, amputam sua autonomia e acabam por colocá-lo

numa posição de fraco, incapaz. Afinal, se os filhos não são estimulados a ter autonomia, estes não criam musculatura (mental e emocional) para enfrentar a vida. Ou seja, de certa forma, eles aleijam a criança ou o adolescente que, cedo ou tarde, se sentirá humilhado perante a vida. E o oposto de autonomia é apatia. Isso é muito sério para o futuro de crianças e adolescentes.

Como explicado, a neurociência mostra que a área do cérebro chamada *córtex orbitofrontal* é responsável por fazer a pessoa pensar nas consequências dos seus atos, criar relações de causa e efeito e planejar ações. É também a sede do freio moral e da força de vontade, que fazem com que, diante de determinadas situações, o indivíduo pense: "Eu quero, mas não vou" ou "não quero, mas vou", avaliando se uma situação confortável no momento pode ter consequências ruins no futuro ou, ao contrário, se algo que pareça incômodo agora poderá ter resultados positivos a longo prazo.

Porém, essas habilidades são desenvolvidas pelo treino. Se uma criança não é treinada a esperar, a negociar, a ceder e a se frustrar, ela está sendo impedida de se preparar para a vida. É como fazê-la andar com uma perna amarrada. Por causa disso, a criança fica chata, birrenta, gastadeira, neurótica e, muitas vezes, ansiosa e depressiva. Além disso, aumentam as chances de que se envolva com drogas, já que vai precisar de algo externo para acalmá-la, porque não desenvolveu autonomia nem autocontrole. Ela precisa do outro ou de algo (álcool, drogas, comida, conexão, *games*...) para realizar coisas que, na verdade, deveria realizar por si mesma, sem "muletas".

Não são poucos os que, muitas vezes por não saberem o que fazer, pensam: "Não quero que minha filha fique irritada comigo", "não quero que meu filho deixe de ser meu amigo, não quero que meu filho sofra". Isso é narcisismo e pode ser prejudicial, pois leva os filhos, do ponto de vista psicológico, a serem fracos. É essencial compreender que vivemos novos tempos, nos quais tanto a família quanto a escola precisam se ajudar no sentido de reforçar uma aliança capaz de assegurar aos filhos um senso de pertencimento, segurança e clareza sobre a importância tanto da educação que ocorre na sala de aula, como na sala de casa. Na medida em que há um eco entre essas duas instâncias, o cérebro da criança e do adolescente entende melhor as regras do jogo e situa-se de maneira mais saudável no mundo.

Já parou para pensar que, antigamente, quem dava aulas era chamado de *professor*, mas hoje o chamam de *educador*? Ora, se ao profissional da escola é delegada toda a responsabilidade de educar, qual seria o papel da família?

Ela pode ajudar muito ao reforçar tanto a importância dos estudos como da educação informal, valorizando não somente as notas, mas todos os demais processos do dia a dia que envolvem prazos, capricho, atenção a detalhes e respeito aos outros, apenas para citar alguns.

O papel educativo das famílias deve ser voltado a estimular a perseverança, o foco, a determinação. Claro que há casos em que aulas de reforço são indicadas. Quando o filho já organizou seus livros e cadernos, quando já tentou tirar suas dúvidas em aula, quando já estudou com colegas, quando já tentou aprender pesquisando na internet e em livros – quando nada disso resolveu, as aulas de reforço podem fazer sentido. Mas reforço sem esforço ensina apatia e comodismo, e isso vai na contramão da educação voltada à autonomia.

É importante lembrarmos que somos todos educadores. As pequenas situações do dia a dia formam uma visão de mundo dos filhos: o modo como dirigimos, como falamos com nossos cônjuges, quem e o que valorizamos acabam por moldar crenças, significados e valores na mente dos filhos.

Em nome de dar felicidade ao filho, cria-se o problema – na família, na escola e em outros ambientes que essa criança frequentar. Depois, quando, por exemplo, a criança não quer dormir cedo ou no próprio quarto, os pais vão ao psicólogo porque não sabem o que fazer, porque qualquer medida restritiva, qualquer limite que imponham pode deixar o filho chateado.

Outro exemplo: não é raro ver, em transportes públicos ou espaços sociais como praças, cinemas, restaurantes e shoppings, crianças e adolescentes com seus games e *gadgets* em alto volume, incomodando os demais sem que seus pais sequer percebam essa atitude como falta de respeito ou de empatia, ou sem saber como lidar com essas atitudes, permitindo tais comportamentos por não saber como agir.

A chateação, a espera, a decepção e a tristeza fazem parte da vida e modulam a felicidade, pois moldam a personalidade do indivíduo a partir do que ele faz diante desses sentimentos. Ao ver uma nota abaixo do esperado, o que se pode fazer é acolher e inspirar. Isso significa dizer "puxa, lamento, é chato mesmo. Vamos ver então o que de melhor podemos fazer com isso". Como dito anteriormente, debater esse tipo de questão em grupos de WhatsApp, por exemplo, é contraproducente, uma vez que o verdadeiro sujeito responsável pela superação (a filha/aluna) não é capacitada ou inspirada a buscar a superação por conta própria, tendo sua autonomia retirada.

Esse é o caminho para formar pessoas fortes, resilientes, dar um "colo com mola", que significa acolher ("entendo", "que chato", "é duro") e direcionar ("agora vamos pensar no que fazer?", "que atitude você pretende adotar agora como o mais inteligente a ser feito?", "quais as alternativas?").

Essa importante competência socioemocional precisa ser trabalhada tanto na sala de aula, com exemplos inspiradores dos professores, quanto em casa – não se deve cair nos perigos do jogo de empurra-empurra: "Os pais é que devem educar", "as escolas é que precisam educar". Ambas devem se aliar, e voltaremos a isso no Capítulo 6.

Afinal, o que seria então uma boa família?

Familiaridade x parentesco

Uma das ações para dar uma educação saudável ao filho é investir na familiaridade e sair do mero parentesco. E o que isso significa?

Existe uma diferença entre familiaridade e parentesco. O parentesco é uma condição estabelecida pelos laços de sangue. Ou seja, não envolve escolha e não se pode fazer nada para mudar. Já a familiaridade está ligada a importação e confiança. O termo *importação* tem a ver com importância. Importamo-nos com algo na medida em que o vemos como essencial para nossa vida: por considerá-lo tão valioso, pagamos o preço para trazê-lo para nossa vida.

Os filhos tendem a confiar em quem sentem que se importa de verdade com eles. É por isso que muitas vezes eles se ligam a um professor que é exigente, mas dá uma boa aula. Àquela mãe que dá bronca, mas também dá carinho. Àquele pai que fala duro, mas elogia quando o filho acerta. Costumamos respeitar mais aquele chefe que cobra muito, mas dá condições de trabalho, do que aquele que só é bonzinho mas não nos inspira, ou o que só sabe gritar e humilhar. Ou seja, quando há um bom equilíbrio entre o afeto e a firmeza (que não significa rigidez nem brutalidade), ganha-se importância na vida do outro. Na prática, um filho se importa com seus pais – ou seja, os traz para dentro de si – quando sente que essas pessoas o levaram para dentro delas.

A confiança é outro elemento que compõe a familiaridade. Ao pensar nessa palavra, podemos pensar em um fio. Quando confio em mim, é como se estivesse conectado com meu eu, me percebendo como alguém digno de valor. Quando confio em alguém, existe algo que nos conecta. Quando confio em Deus, na vida, há algo que me ajuda a transitar pelo mundo. Então, aquele em quem confiamos é familiar, pois existe um fio condutor entre nós.

A base da resiliência é justamente essa: confiar em si, nas próprias capacidades e na vida. Este é o maior risco da superproteção: prejudicar essa capacidade. Porque se uma pessoa não confia em si, não confia na vida e não confia que vai desenvolver as competências necessárias para viver, tende, narcisicamente, a se tornar evitativa. Por isso, uma boa família é aquela em que os pais praticam a importância e a confiança. Então, não importa a configuração dessa família, o número de pessoas que fazem parte dela. Se os adultos mostram que se importam com seus filhos, que estes podem confiar neles, temos um bom exemplo de família suficientemente boa para essas crianças.

Pensemos agora no caso de um padrasto ou uma madrasta. Por exemplo, se um homem namora uma mulher que tem filhos, ele precisa entender que muito mais vale ser um bom parceiro para ela. E que não vai namorar a mulher, e sim a família, e terá que se tornar familiar para todas as pessoas envolvidas – mãe e filhos. É importante que ele entenda que, mesmo que não seja o pai biológico daquelas crianças, vai exercer um papel – formativo, informativo e moral –, e assumir a função de companheiro da mulher. O mesmo vale para uma mulher que se relaciona com um homem que tenha filhos de relacionamentos anteriores.

A experiência clínica nos ensina que ter alguém que acredita em nós é um elemento poderoso que impulsiona ao sucesso. "A + creditar", dar crédito. Essa é a resultante da importância e da confiança, que são a base da autoconfiança, um dos alicerces do sucesso.

E em quem nosso jovem confia hoje? O que ele vê como modelos por aí? Se ele não tiver os próprios pais como referências positivas, poderá se tornar uma vítima das propagandas, da opinião alheia; ele pode se tornar *o outro*, uma pessoa vazia de sentido e de propósito. Nessa situação, frequentemente se instala um projeto de morte, não um projeto de vida.

O psicólogo norte-americano Martin Seligman, no livro *Felicidade autêntica*, explica que, quando um indivíduo (humano ou animal) é exposto a uma situação de estresse, em um primeiro momento ele tenta resolver a situação eliminando a fonte do incômodo.

Veja esse experimento para exemplificar: se um grupo de pessoas for colocado em uma sala fechada e um som estridente começar em volume altíssimo, naturalmente as pessoas tenderão a procurar formas de desligá-lo. Depois de um tempo, no entanto, ao perceberem que sua tentativa nada resolve, elas simplesmente se acomodam, ainda que com grande sofrimento. Esse teste foi replicado em diversos contextos, com respostas similares.

Mas a boa notícia que nos dá uma luz importante sobre como funciona a resiliência humana é que, mesmo que já estivessem em um estado de apatia, de desistência, quando os cães eram motivados a continuar se esforçando e a empurrar a alavanca com o focinho, depois de um tempo, ao perceberem que conseguiam escapar, a motivação voltava e eles se mobilizavam para sair da situação estressante. Assim como se aprende a desistir, pode-se aprender a persistir. Sim, podemos mudar. Sim, podemos reaprender. Sim, podemos dar a volta por cima mesmo que tudo pareça perdido.

Depois de certo tempo, se nada do que foi feito gerar resultado, acontece o que se chama de desamparo aprendido – a pessoa desamparada, quando não vê saída ou se sente incapaz, tende a desistir. Muito da falta de vontade e da postura de entrega que hoje é observada em crianças e adolescentes foi também aprendida, seja pelo mimo, seja por expectativas tão irrealistas que desmotivam. Será que os filhos, hoje, sentem confiança em seus pais? Será que você, pai ou mãe, tem despertado em seu filho a sensação de que, diante de uma dificuldade, uma oportunidade, um grande sonho, é nas *suas* atitudes que ele pode se inspirar para saber agir? Vale também se perguntar se você tem se esforçado para que seus filhos se importem consigo mesmos e com os demais, para que confiem em si e na vida. Uma planta desamparada, ou seja, sem amparo, sem suporte adequado, pode murchar ou se tornar seca. O coração de um filho também. Crianças e adolescentes que se ferem ou que agridem os demais podem estar tentando transpor no mundo físico aquilo que sentem em seu mundo interno, emocional. Há uma troca de sofrimentos. Como a dor na alma é forte e difusa, o filho se corta, se fere, se machuca para driblar seu estado interno de caos ou invisibilidade.

Casos para refletir

Algo está errado na educação familiar quando:

- O filho de 12, 13...16 anos dorme com a mãe após a separação.
- Ficar bravo quando os parentes reclamam que o filho está comendo bolacha no sofá da sala, mesmo que o chão e o sofá fiquem sujos.
- De seu quarto, a criança manda mensagem via WhatsApp para o pai dizendo que está com fome e é atendida.
- Na hora do banho, o filho larga todas as roupas no chão e a mãe as recolhe aos gritos.
- Falar para o filho que, se ele quiser estudar Jornalismo, é problema dele, mas que não reclame depois, porque não vai ganhar dinheiro com isso de jeito nenhum.
- Ligar para a professora para debater a nota da pós--graduação da filha.
- Ligar para a escola e pedir dispensa do filho para viajar antes do feriado e driblar o trânsito, oferecendo um presentinho para a orientadora se ela abonar a falta.
- Mandar WhatsApp para a filha às 10 da manhã perguntando o que ela quer almoçar.
- Ligar para a escola e pedir à orientadora que adiante a data da prova do filho em dez dias porque comprou um pacote de viagem para a família.
- Mandar bolo para a escola para comemorar o aniversário do filho – mesmo sabendo que é contra as regras da instituição – e se irritar porque a entrega foi barrada, ligando para reclamar com a orientadora.
- Desestimular o filho a prestar o Enem (ou outras provas importantes) porque prefere deixar o jovem "livre" para fazer as coisas no ritmo dele.

- Visitar a escola no começo do ano para dizer à professora que a filha não está acostumada a ouvir "não" e que a docente deve colaborar para não deixá-la chateada ou triste.
- Xingar ou ofender pais de amigos dos filhos em situações de conflitos ocorridos na escola.
- Irritar-se quando um vizinho do prédio liga pelo interfone para pedir que seu filho abaixe o volume da música que está ouvindo ou tocando, pois isso "inibe o lado artístico dele".
- Trocar figurinhas pelo filho.

Em todos esses casos, os pais assumiram um papel que não lhes cabia, superprotegeram ou tentaram driblar limites em busca de privilégios, agindo eles próprios como imperadores. E você? Como agiria nesses casos?

Veja um vídeo do autor a esse respeito para lhe ajudar em suas reflexões.

DESTAQUES

Os filhos tendem a se importar com quem se importa com eles.

Confiar é criar um fio condutor, uma conexão essencial.

Educar dá muito trabalho. Porém, dá muito mais trabalho não educar.

Criar expectativas não realistas é um atalho para a infelicidade.

Antes de ser um pai legal, seja uma pessoa leal.

Foto: Shutterstock/VGstockstudio

CAPÍTULO 4

Atitudes que prejudicam a educação dos filhos
Sim, isso faz mal

Como vimos, ao criar filhos imperadores o nível de estresse dos pais se torna muito maior. Eles não dormem bem, não se divertem, não relaxam, podem se prejudicar no trabalho, não têm vontade de voltar para casa. O índice de felicidade cai muito, e eles podem até ficar com raiva dos filhos. Então, cria-se um círculo vicioso, porque tentam comprar os filhos com presentes e permissões para ter um pouco de sossego. Aí, a situação degringola.

Como deixar o narcisismo de lado e entender a importância de uma educação saudável? O primeiro passo é saber quais são os riscos e os prejuízos que estão causando não só para os filhos mas também para si mesmos. Para ajudar os pais a fugir dessa armadilha, apresentamos dez exemplos de atitudes que prejudicam a educação dos filhos.

1. Ironia
A filha comenta que quer ser arquiteta, e o pai ri, dizendo que, do jeito que seu quarto é bagunçado, as coisas que ela desenhar ficarão parecendo um lixão – ou seja, desqualifica o desejo da filha.

Insistir em chamar um filho por um apelido que ele não gosta, dizendo que "é frescura".

2. Descaso, menosprezo

Esquecer de comparecer à final do torneio esportivo do filho.

Ao ver uma nota boa, não elogiar ou dizer que o filho não fez mais que sua obrigação.

3. Agressão física ou verbal

Gritar, bater, beliscar, jogar coisas, quebrar objetos quando sentem que perderam o controle.

4. Negligência

Não adquirir o material escolar solicitado; deixar de prover cuidados médicos, medicamentos; não informar a escola sobre tratamentos que os filhos estão fazendo, seja por que motivo for.

5. Ameaça

Chantagear com conotação negativa, ensinar os filhos a obedecer unicamente por medo de retaliação; prometer castigos diante de maus comportamentos, sem tentar antes verificar se o filho entendeu o que fez, o dano que causou, se está arrependido e se pode fazer algo de positivo a respeito.

6. Comparação

Valorizar os outros ou a si próprios mais que aos filhos, fazendo comparações descabidas; dizer que a filha ou o filho mereceriam ser amados se fossem diferentes do que são, desqualificando-os como seres únicos, com aspectos ou positivos ou passíveis de melhora.

7. Terceirização

Delegar para o cônjuge, para a escola, para o psicólogo ou para o técnico esportivo a responsabilidade pela educação dos filhos; acreditar que no futuro tudo se ajeita sozinho.

8. Mercantilização

Pagar para que o filho faça suas tarefas escolares ou ajude na arrumação da casa; associar bom comportamento a receber sempre algum dinheiro ou privilégio, deixando de transmitir a percepção de que fazer o bem e o correto são valores que nos engrandecem e promovem uma existência mais sadia e feliz, por isso, já devem nos satisfazer por si mesmos quando se tornam hábitos, e não demandar sempre recompensas externas.

9. Autoritarismo
Colocar-se como donos da verdade; jamais aceitar ouvir opiniões diferentes das próprias ou mudar de opinião.

10. Permissividade
Facilitar tudo para os filhos; ser "amiguinhos" dos filhos, tornando-os órfãos de referências e cuidados essenciais.

Como já falamos anteriormente, se forem constantes no dia a dia familiar, essas atitudes levam as crianças e os adolescentes a sentirem uma pressão extrema, pela presença de pais autoritários, ou permissivos, ou negligentes (ver Quadro *Tipos de pais*, p. 70).

Autonomia x abandono

Na verdade, muitos desses pais acreditam estar dando autonomia ao filho quando, na verdade, os estão abandonando. Por isso, é importante que a diferença entre essas duas condições fique clara.

Em relação à vida escolar, educar para a autonomia é estimular que o filho resolva as coisas por si, conversar de tempos em tempos (uma vez por semana, por exemplo) sobre a escola; é dar ao filho a responsabilidade por encontrar soluções para suas questões e lhe dizer que acredita em seu potencial, em sua capacidade. Além disso, estimular que o filho seja persistente, tenha paciência, encontre seu equilíbrio. Também ajudar a organizar a agenda do filho (e não fazer por ele), incentivar que ele mantenha os combinados e aprenda a importante capacidade de adiar o prazer em função de conquistar metas importantes. Por exemplo: ele deve primeiro estudar, terminar a tarefa, e só depois brincar, jogar videogame etc. Esse apoio – tanto em relação à auto-organização quanto à logística da casa – ajuda a promover autonomia e responsabilidade.

É bem diferente, portanto, do abandono, da postura de não se interessar pela vida escolar ou pela saúde do filho, achar que está tudo bem se ele for mal na escola, se faltar ao dentista ou não honrar os combinados. Quando isso acontece, a atitude correta é usar o "colo com mola" citado anteriormente, ouvindo, procurando entender, analisando a situação e em seguida, ajudando o filho a repensar sua atitude e a escolher a ação mais saudável/inteligente/produtiva. É isso – e não o abandono, a indiferença, o "deixa pra lá" – que gera autonomia: auto (próprio) + tônus (força). O ser autônomo é forte por dentro, se sente capaz de enfrentar a si mesmo (aos impulsos) e aos outros (às provações e provocações). O abandono decorre da falsa crença de que as coisas se resolvem sozinhas. Outra atitude de abandono é acreditar que, se o filho não faz alguma coisa, é porque ele é fraco ou má pessoa. Como vimos, abandonar é também terceirizar a educação da criança, sob a alegação de que não tem tempo e que já tentou de tudo, de que a escola ou a esposa/o marido é que têm que cuidar disso.

Há outras duas questões importantes quando se trata de educação: a superproteção e o autoritarismo. Na superproteção, os pais fazem tudo pelos filhos, porque acreditam que ele não é capaz de fazer sozinho ou que é seu papel fazer por eles. Por exemplo, se o filho não fez a lição de casa, ligam para a escola, dizem que ele não conseguiu e tentam negociar algum tratamento especial; se teve uma nota baixa, vão tirar satisfação com a professora. Também não deixam o filho ir a nenhum lugar sozinho, arrumam suas coisas por ele, não deixam que contribua com as tarefas de casa. Já a postura autoritária se vale de ações como bater, xingar, gritar, falar com o dedo em riste, humilhar, ironizar e ameaçar para que os filhos façam o que os pais desejam.

Vale ressaltar que um pai ou uma mãe nunca vai ter apenas uma postura: no dia a dia, pode haver momentos em que ambos recorram a um ou a outro comportamento, seja por cansaço, por questões pessoais ou pelo contexto do momento.

Todo pai e toda mãe, em algum momento, vai ser mais autoritário ou mais permissivo, até porque às vezes a própria criança não demonstra o que está pensando, o que está sentindo. Nem sempre temos plena noção do que está acontecendo dentro de nós. Da mesma forma, nem tudo o que o filho passa ou sofre é responsabilidade ou culpa dos pais. A criança tem a sua genética, sua alma. Além disso, ela é educada também pela escola, pelos amigos, pela rede sociocultural na qual está inserida. Ela também tem sua rede neural, com limites e potencialidades herdadas, e em seu cérebro se armazenam memórias de centenas de anos. Assim, os pais não são 100% responsáveis pela felicidade ou infelicidade, pelo sucesso ou insucesso dos filhos. Mas são 100% responsáveis pelo que lhes cabe fazer.

Você pode ser uma mãe ou um pai incrível, mas isso não garante que seu filho será uma pessoa feliz, plena e bem-sucedida na vida. O que os pais devem fazer é evitar os excessos, tais como a obsessão por controle, aquela ideia de que tudo tem que estar sempre certo, nada pode dar errado, e que é preciso (e possível) prever e controlar tudo. Isso também não funciona. Outra coisa a evitar é a postura histérica, dramática, na qual tudo é o fim do mundo, tudo é um grande problema, uma catástrofe.

A obsessão por controle, o abandono e a histeria atrapalham muito. Então, se um dia o pai ou a mãe gritar, perder o controle ou disser uma palavra mais dura, o que ele ou ela deve fazer é ser honesto(a) e dizer: "Me desculpe pela forma como eu falei (ou agi) com você, eu estava cansado(a), mas mantenho o que disse, porque eu me importo muito com o seu desenvolvimento, eu realmente quero que a gente seja uma família de pessoas educadas". A orientação é muito importante, por isso se deve despersonalizar a bronca, chamando a atenção para os valores da família – por exemplo, "não temos o direito de descumprir os combinados, porque aqui em casa (e lá fora) é importante que sejamos educados e respeitosos um com o outro". Dessa forma, todos se colocam dentro de uma missão maior, que é o projeto familiar, maior que o ego de cada um.

QUADRO 1 | Tipos de pais

A partir da forma como é tratado pelos pais, o filho tende a formar uma visão de mundo e a adotar atitudes alinhadas com ela. Por isso, é importante prestar atenção no tipo de educação que se está dando a ele. Há quatro posturas mais frequentes tomadas pelos pais: negligentes; permissivos; autoritários; participativos.[1]

Pais *negligentes* são aqueles que oferecem poucas regras e limites, dão pouco afeto e não se envolvem na vida dos filhos. Esses pais não dedicam muito tempo para educar os filhos, pois têm diversas coisas a fazer e acreditam que outros – como os professores – podem desempenhar esse papel no seu lugar, ou que as crianças se ajeitam. Em nome da liberdade, institucionalizam o abandono. Como resultado, em geral os filhos desse tipo de pais apresentam baixa autoestima, têm poucas habilidades sociais, sofrem de algum grau de depressão e são pessimistas.

Esses jovens acabam desenvolvendo crenças como "se ninguém cuida de mim, deve ser porque não tenho valor", "eu não importo", "nada vale a pena" ou "nada tem importância". Na sua cabeça, se os próprios pais não investem tempo e energia para que recebam afeto e se sintam cuidados, nem lhes mostram para onde ir, então não importa o que se faça, pense ou sinta. Filhos de pais negligentes tendem a se tratar também com negligência, tirando notas baixas, sendo descuidados com a saúde ou tendo maus comportamentos. Outros parecem se divertir muito, têm uma postura de que não querem nada de sério na vida, mas na verdade têm medo

---

[1] BAUMRIND, Diana. Parental disciplinary patterns and social competence in children. Youth and Society, [s. l.], v. 9, n. 2, p. 239-276, 1978. MACCOBY, Eleanor E.; MARTIN, John A. Socialization in the context of the Family: parent-child interaction. In: HETHERINGTON, E. Mavis; MUSSEN, Paul H. Handbook of child psychology. v. 4. New York: Wiley, 1983. p. 1-101.

de tentar qualquer coisa, pois sabem que não podem contar com orientação e, se falharem, não terão ajuda de ninguém.

Normalmente, os pais não percebem que são negligentes e, por isso, têm pouca chance de mudar. Como os filhos aprendem que naquela família tudo é "tanto faz", eles se afastam e, quando os pais tentam alguma aproximação, os jovens tendem a se mostrar indiferentes também. Então os pais, por acharem que os filhos não querem envolvimento, os deixam em paz, criando um círculo vicioso de cada um por si. Na realidade, muitos desses pais não são indiferentes aos filhos, apenas não percebem que são abandonadores nem têm consciência dos prejuízos dessa postura – a dor de não se sentir importante, a invisibilidade e, com ela, a indiferença em relação à vida.

Pais *permissivos* são os que se consideram "amiguinhos" dos filhos e, por isso, lhes oferecem poucas regras e limites e muito afeto, e se envolvem bastante em suas vidas. Por se sentirem sobrecarregados, cedem com facilidade aos pedidos e chantagens dos filhos. Em geral, aceitam tudo e minimizam as consequências de certos atos, justificando o que os filhos fazem de errado como "ele não tem jeito, é levado mesmo" ou "isso é coisa de adolescente". Com essa postura, reduzem seu estresse imediato e sua responsabilidade, porque não há cobranças, broncas, necessidade de orientação e presença.

Para os pais, pode ser até mais divertido e mais leve ser amigo, e não pai, mãe. Como nessa etapa de vida (a meia-idade) frequentemente seu círculo social é mais reduzido, entrar no universo dos filhos pode ser muito tentador. Porém, essa postura traz vários prejuízos: esses jovens têm dificuldade em enfrentar a vida, apresentam autoestima e autoeficácia baixas, muitos são pessimistas e não confiam na vida, em si e no futuro, porque crescem sem muitos desafios e sem muitos incentivos.

O risco de superproteção, nessas famílias, também é grande, por isso quase não há metas nem expectativas em relação aos filhos. E, com pais que se colocam apenas como amigos e nunca como referências adultas que os filhos devem respeitar, estes perdem as orientações e a inspiração necessárias ao crescimento, além de serem envolvidos em assuntos dos adultos antes de terem maturidade para isso – o que gera insegurança e tristeza, pois não contam com ninguém que os leve a sério.

Pais *autoritários*, ao contrário, oferecem muitas regras e limites, mas pouco afeto e envolvimento na vida dos filhos. Eles são sempre donos da verdade e gostam de exercer poder sobre a família. Muitas vezes, há casos de violência verbal ou física contra o companheiro ou companheira e contra os filhos. Para garantir obediência, alguns pais apelam para chineladas, gritos, ameaças ou até agressões. Para eles, nada do que o filho diz, sente ou faz deve ser levado em consideração.

O problema dessa postura, que aparentemente oferece proteção e segurança, é que a firmeza excessiva traz o medo, a distância e, de fato, muita insegurança, porque, mesmo quando se esforçam, os filhos sempre recebem bronca ou silêncio, o que leva à desmotivação. Esses jovens não desenvolvem boas relações sociais e otimismo, apresentam baixa autoestima e muitos sofrem de depressão.

Ser firme é bem diferente de ser violento. Para os pais autoritários, um bom filho é aquele que obedece sempre, que segue as regras estabelecidas sem questionar. Eles acham que sabem de tudo e, por isso, não precisam dialogar, negociar ou validar o outro. Assim, frequentemente não conhecem seus filhos. Por isso, esses jovens com frequência acabam sem ambição e interesse, apáticos, ou se tornam gananciosos e perfeccionistas, para compensar o medo do fracasso ou para tentar obter o reconhecimento e o afeto dos pais.

A postura mais adequada para criar filhos de forma saudável é a dos pais *participativos*. São aqueles que impõem regras e limites mas sabem dar afeto e se envolvem diretamente na vida dos filhos. Mesmo quando questionados e desafiados pelos filhos, mantêm seu sistema de valores, crenças e atitudes. Dialogam sem gritar, explicando os motivos de suas decisões com firmeza e respeito pelo desejo dos filhos, sem desprezar, rebaixar ou desqualificar.

Cientes do grande trabalho que é educar, os pais participativos enfrentam a cara feia dos filhos quando contrariados, acordam no meio da noite para buscá-los na balada, vão às reuniões escolares e conversam sobre o projeto de vida da família. Eles não apostam na sorte, investem em sua própria atitude diante da família.

Ao participar da educação dos filhos, os pais contribuem para a boa saúde mental daqueles, os quais têm o cérebro acostumado a sentir-se estimulado e podendo funcionar em um estado favorável, sem o estresse do abandono ou da violência. Por isso, esses filhos desenvolvem uma boa autoestima, são otimistas em relação ao futuro e confiam nas próprias habilidades para enfrentar desafios e superar obstáculos.

DESTAQUES

Educar para a autonomia é estimular que o filho resolva as coisas por si.

Dar colo com mola é ouvir, entender, analisar e orientar.

Nem tudo pelo que o filho passa ou o que sofre é responsabilidade ou culpa dos pais. A criança tem sua genética, sua alma, a escola, os amigos, sua rede sociocultural.

Não aposte na sorte, invista na atitude.

CAPÍTULO 5

Corrigindo o rumo para uma educação saudável
Pais empoderados educam melhor

Como oferecer uma educação saudável para a criança, de modo que ela não se torne um pequeno imperador, e sim um indivíduo autônomo que consiga alcançar a melhor versão de si mesmo?

De acordo com o pediatra e psicanalista inglês Donald Winnicott, que estabeleceu o conceito da "mãe suficientemente boa",[1] os pais, conforme o filho vai crescendo, devem lhe dar

---

[1] No momento do nascimento, existe como que uma unidade entre mãe e filho. Ao longo do desenvolvimento do bebê e do processo educativo vivido na família, é desejável que haja um distanciamento gradual entre mãe e filho, de modo a construir uma base emocional segura e consistente para que tanto a mãe quanto o filho se percebam como seres autônomos, com desejos, direitos e singularidades. Se uma criança é atendida de forma completa por um pai ou uma mãe, que agem com intensidade, dramaticidade e senso de urgência a todo tempo, estes podem acabar gerando no filho a percepção de que o mundo gira em torno dele, o que é perigoso, pois insustentável. Ainda que nos primeiros meses de vida haja, sim, uma necessidade maior de atenção, proximidade e cuidados, é interessante que os pais ajudem a criança a se sustentar como sujeito, ou seja, a regular seu choro sem ter alguém que a todo tempo a acolha, a esperar para comer no momento adequado sem que alguém corra para lhe oferecer comidinhas a toda hora, ou mesmo a se organizar após o brincar, evitando uma postura excessivamente zelosa que poderia levar ao mimo e a onipotência por parte do filho, que, por sua vez, cresceria num ambiente em que impera seu desejo, sua necessidade, ao custo de seu desenvolvimento pleno.

apenas o essencial para seu desenvolvimento. Isso significa uma boa escola, uma alimentação de qualidade, um conjunto de regras claras, afeto, atenção e estímulo para que ele resolva por si só as próprias questões. Um exemplo: nas creches francesas, quando as crianças têm um problema, a professora estimula que elas próprias resolvam. Em uma visita ou reunião, se uma mãe pergunta como as coisas estão indo com seu filho, a professora vai responder "se tiver algum problema, avisamos". Ou seja, existe uma confiança na creche e um padrão de como educar.

Como já dissemos, não são incomuns os casos de mães ou pais que vão com o filho à entrevista de emprego, que ligam para a professora de graduação em universidade para negociar a nota do filho ou pedir abono de falta. Isso nada mais é que a crença, disfarçada de amor, de que o filho é um incapaz. Quando a mãe resolve tudo, no fundo ela está dizendo para o filho: "Você é um incompetente, não dá conta. Eu sou o máximo e resolvo para você". Por isso insistimos em dizer que a superproteção é um ato narcísico dos pais.

Por outro lado, existe a tendência de deixar o filho "reinar" na família, de atender a todos os seus desejos. Por exemplo: há algumas décadas, nas festas familiares, havia um espaço reservado para as crianças e o espaço dos adultos. Hoje, aposta-se na liberdade, na leveza e na convivência, e, assim, todo mundo tem de ficar junto e cada um faz o que quer. Porém, o que os pais fazem? Deixam as crianças dominarem o espaço, espalhando seus brinquedos, correndo e gritando livremente, sem se importar se estão incomodando os demais. Na hora de ir embora, ninguém ajuda a arrumar nada, as crianças muitas vezes nem agradecem pela festa, pelos presentes, ou mesmo dizem um mero "boa-noite". Saem da celebração como se nada fosse, deixando toda a bagunça para trás, e tudo sobra para o anfitrião. Nisso, perde-se aí a oportunidade de mostrar a importância de ajudar a arrumar a bagunça que se fez, de dar um exemplo de amor, empatia, solidariedade e respeito com as pessoas que fizeram a festa.

Importar-se com o filho não é deixá-lo fazer tudo o que ele quer, do jeito que quer, de maneira negligente, para agradá-lo. Isso só está agradando um desejo de se livrar do trabalho de educá-lo. Importar-se não é ser "amiguinho" do filho. Importar-se é aquele delicado equilíbrio entre o afeto e a firmeza. Às vezes você vai mostrar que realmente se importa dizendo "não", protegendo o filho de si mesmo, dos seus impulsos negativos. Por isso, falamos anteriormente que a confiança que os filhos sentem com relação a si mesmos está ligada com a importância que eles sentem que têm para os pais. Se eles podem confiar nos pais, podem confiar em si mesmos, porque nós somos seres sociais, nosso autoconceito, o que pensamos e sentimos sobre nós está ligado à relação que temos com o outro. Vem daí o fato de que nossa autoconfiança está ligada à confiança que temos no outro, como já exposto anteriormente.

Desenvolvendo a resiliência

Uma das formas de tornar o filho mais autoconfiante é ajudá-lo a desenvolver a habilidade da resiliência. E como fazer isso? Deixando que ele mesmo procure resolver as coisas.

> Considerando a situação de dificuldade escolar, antes de agir pelo filho, faça-lhe perguntas empoderadoras, tais como:
>
> - Qual tem sido sua postura em aula?
> - Tem prestado atenção?
> - Como está seu caderno?
> - Tem feito as lições de casa?
> - Costuma perguntar quando não entende?
> - Você realmente estuda sem distrações (celular, música, animais de estimação, *games*, TV...)?

- Com que amigos você poderia estudar?
- Conhece sites que explicam esse conteúdo?
- Qual a importância que você dá a essas aulas?
- Conte-me como tem estudado, e vamos pensar juntos em alternativas.

Segundo o físico Leonard Mlodinow, a única característica 100% dependente de nós para a obtenção do sucesso é exatamente a persistência. "O que aprendi, acima de tudo, é a seguir em frente, pois a grande ideia é a de que, como o acaso efetivamente participa de nosso destino, um dos importantes fatores que levam ao sucesso está sob nosso controle: o número de vezes que tentamos rebater a bola, o número de vezes que arriscamos, o número de oportunidade que aproveitamos. Pois até mesmo uma moeda viciada que tenda ao fracasso às vezes cairá do lado do sucesso. Nas palavras de Thomas Watson, o pioneiro da IBM: 'Se você quiser ser bem-sucedido, duplique a sua taxa de fracassos'", ele aponta no livro *O andar do bêbado*.

São vários os exemplos citados por Mlodinow de profissionais bem-sucedidos que enfrentaram obstáculos antes de atingir o sucesso. O inventor Thomas Edison dizia que "muitos dos fracassos da vida ocorrem com pessoas que não perceberam quão perto estavam do sucesso no momento em que desistiram". A autora da série Harry Potter, J.K. Rowling, teve seus livros recusados por muitas editoras antes de conseguir publicá-los. O diretor George Lucas tentou financiamento em vários bancos até conseguir realizar seu sucesso *Star Wars*. Esses casos mostram a importância da perseverança, da garra e da disciplina, habilidades que o pequeno imperador nem sabe que vai precisar desenvolver.

O pesquisador e empreendedor Rasmus Ankersen, no livro *The Gold Mine Effect* [*O efeito mina de ouro*], após percorrer grandes centros de treinamento esportivo na Etiópia, na Jamaica, na

Rússia, na Coreia do Sul e no Brasil, descobriu que os grandes atletas têm sempre dois fatores que contribuem para o seu sucesso: o primeiro, um treinador em quem confiam e a cuja liderança se submetem; o segundo, a persistência. Por exemplo, quando um atleta de alta performance começa a ter uma sensação de cansaço e até de dor – que nada mais é do que o cérebro sinalizando que o organismo está na zona de esforço extraordinário –, é nessa hora que ele dá a arrancada final, continuando de onde outros desistiram. No livro *Desafios à força de vontade*, Kelly McGonigal, psicóloga emérita da Universidade de Stanford, nos EUA, explica que o início da dor que sentimos quando nos exercitamos é um sinal que o cérebro recebe de que estamos entrando na nossa reserva de energia, e não de que já estamos no limite. Por isso, ao persistirem nesses momentos, os atletas de alta performance se diferenciam dos demais, que desistem mais facilmente.

É o mesmo quando a filha diz que não consegue aprender física. Os pais, reforçando a confiança que ela deposita neles, devem incentivar a persistência, dizendo coisas como: "Você tem capacidade, procure uma amiga para pedir ajuda, procure videoaulas no YouTube, pergunte de novo para seu professor", ou "você ainda não aprendeu e se persistir vai encontrar um jeito"; "confie em sua capacidade e se esforce um pouco mais. Se precisar, veja com seus colegas como eles têm feito". Se ela precisar de mais horas por dia para estudar física, os pais devem incentivá-la a fazer isso, porque os jovens devem ir atrás de seus objetivos. Feliz daquele que transforma suas dificuldades em oportunidades de crescimento. Esta é a dica de Shawn Achor, que cuidou por mais de uma década de egressos da Universidade de Harvard. Ele percebia que, quando se age assim, há uma maior motivação: afinal, o desafio (de crescer) é muito mais agradável de enfrentar que o medo (de errar). A neurociência comprova que desafios estimulantes liberam dopamina, um dos neurotransmissores da felicidade. A chave é ensinar aos filhos que, se há solução, não temos problemas, e sim desafios que nos farão melhores e maiores.

Em busca da felicidade

Além disso, assim como a fome é um excelente tempero para a comida, a espera, a busca, a negociação, a engenhosidade e o empreendedorismo são excelentes motivadores para a conquista.

No livro *Felicidade*, o economista Eduardo Giannetti apresenta um caso interessante. Perguntou-se a um grupo de pessoas se elas tomariam uma hipotética pílula da felicidade, que faria com que todos ficassem felizes para sempre e nunca mais tivessem sofrimento. Boa parte dos participantes ficou tentado a dizer "sim". Porém, você já imaginou como seria? Conquistar aquela pessoa tão desejada não teria mais graça, porque você já estaria feliz. O mesmo vale para outras situações da vida: tirar uma nota excelente em uma matéria difícil não seria tão empolgante, ver o seu time ganhar de virada no último minuto uma final de campeonato também já não traria tanta alegria. Afinal, você já estaria satisfeito, pleno. Ao pensar sobre isso, muitos desistiam da pílula mágica da felicidade, pois o que dá sabor à vida é vencer o dia a dia, é se superar, é ter dias de sol e de chuva, de calma e de agitação. O preto define o branco. A dor define a alegria. A frustração define a superação.

De fato, a felicidade vem justamente desse jogo da vida: às vezes se ganha, tudo dá certo, em outras se perde. É nesse balanço entre o nosso desejo e o desejo do mundo que se constrói o senso, a percepção de felicidade. Uma das rezas mais praticadas em todo o mundo ocidental, o "Pai Nosso", nos ensina isso quando se diz "O pão nosso de cada dia nos dai hoje [...]". Afinal, tanto o sucesso como a felicidade são construídas de dentro para fora, a partir de pequenas ações que se tornam hábitos, que se tornam virtudes, que constroem nosso caráter, o qual se torna nossa fortaleza interior.

E, é importante ressaltar, a felicidade não está baseada no *ter*, e sim no *empreender*. Pesquisas mostram que, a partir do momento em que você tem suas necessidades básicas atendidas, mais dinheiro não traz felicidade.[2] É por isso que se instala um círculo vicioso de infelicidade quando as pessoas se deixam levar pelo consumismo. O psicólogo Martin Seligman fez uma pesquisa nos últimos três mil anos de sabedoria universal sobre o que era a felicidade – incluindo Lao-Tsé, Confúcio, Aristóteles, Platão, a Cabala, o Velho Testamento, o Novo Testamento, o Alcorão, o Código Bushido (dos samurais japoneses), entre muitos outros – e encontrou seis virtudes ubíquas, ou seja, presentes em praticamente todas as crenças e códigos universais. A prática consistente dessas virtudes, que se desdobram em 24 forças morais, promove a felicidade. São elas: humanidade, transcendência, justiça, moderação (ou temperança), coragem e saber/conhecimento.

Outro autor que corrobora a ideia de felicidade como uma construção pessoal é Malcolm Gladwell. No livro *Fora de série – Outliers*, ele aponta que, segundo pesquisas realizadas com pessoas talentosas em diferentes áreas, como músicos e atletas, são necessárias pelo menos 10 mil horas de prática para alcançar a excelência em algumas atividades. Assim, aquilo que se vê como sucesso precisa de muito esforço para ser alcançado: ele é fruto de uma combinação de talento, preparação, esforço, motivação, valores e *mindset* – a mentalidade que cada um de nós tem em relação à vida; em termos práticos, o conjunto de atitudes mentais que influencia diretamente nossos comportamentos, sentimentos e pensamentos.

Para o economista Paul Dolan, outra atitude que nos aproxima da felicidade é um bom equilíbrio entre prazer e propósito. Uma pessoa que só busca o prazer tenderia a se tornar um hedonista, que é regida apenas pelo prazer imediato; mas como este se torna fugaz (por ser imediato e ir embora rápido, como no caso

---

[2] DIENER, Ed; BISWAS-DIENER, Robert. Will money increase subjective well-being: a literature review and guide to needed research. *Social Indicators Research*, [s. l.], v. 57, n. 2, p. 119-169, fev. 2002.

de presentes, comida, mimos), a pessoa com o tempo tende a se tornar apática, sem desejo, sem gosto pela vida, e não encontra um caminho para seu viver. Ao mesmo tempo, uma pessoa que, ao contrário, só tem um propósito – apenas estuda, ou só foca no trabalho e não tem lazer nem amigos – tenderia a se tornar travada, triste, fria.

Lotar a agenda da criança com um milhão de atividades e estimulá-la em excesso é prejudicial. É importante deixá-la com tempo livre e evitar a hipervigilância via celular o tempo todo, o que não deixa a criança sozinha nunca, nem no quarto. É natural que os pais tenham medo de deixar o filho, a partir de certa idade, andar sozinho pela cidade por causa da violência urbana, mas não deixá-lo sair de casa não é a solução. Se, em nome do medo, os pais não deixarem os filhos usar transporte público ou circular pela cidade, eles ficam aprisionados na gaiola de ouro, numa bolha construída pela família. Em vez de criarem asas fortes que os levem a voar, podem se tornar seres amedrontados, acomodados, e, mesmo que a gaiola seja a melhor e mais confortável possível, mais cedo ou mais tarde tenderá a atrofiar o amadurecimento. Orientar o filho sobre como agir caso se perca ou se veja em uma situação delicada é sadio e promove a autonomia.

É importante crianças e adolescentes terem o *tempo de estudo* e o *tempo de ócio*. O ócio possibilita a criatividade, a inventividade, a capacidade de perceber os próprios sentimentos. É preciso refrear a crença de que, quanto mais competências o filho tiver, quanto mais cedo começar a fazer as coisas, melhor. Isso é o oposto do que ocorre na natureza, na qual, quanto mais lento for o desenvolvimento, mais sólido ele será. Arrancar a cenoura da terra antes do tempo porque não se aguenta esperar pode ser muito prejudicial, e o mesmo vale para as crianças. Existe o tempo certo para as coisas acontecerem.

Quando estamos com tédio, com tempo ocioso, acionamos áreas mais profundas ligadas ao nosso eu, à nossa criatividade, o que nos permite reflexões sobre nosso sentido e nosso propósito de vida. Deixar o filho fazer nada por algumas horas, por alguns momentos na agenda, pode ser uma maravilha para seu bem-estar.

A criança precisa ter tempo para si, para sonhar, para brincar com coisas simples que estimulem a motricidade e o desenvolvimento corporal. Hoje, com a cultura da pressa, da agenda lotada, estamos perdendo o foco na alegria e na celebração das pequenas coisas, porque nada é importante quando tudo é urgente. No livro *A sociedade do cansaço*, o filósofo coreano Byung-Chul Han ressalta que, por causa dessa aceleração e do excesso de atividades, perdemos também os rituais, as hierarquias e a visão de médio e longo prazo. E, por isso, ficamos tristes.

E não existe coisa pior que uma sociedade triste. Hoje temos mais informação, mais dinheiro circulando, mais liberdade, mas estamos mais tristes, menos confiantes e menos empáticos. E as crianças estão estressadas, cansadas, achando que a vida é difícil. Isso é ainda mais complicado pelo desejo de *status* que chega até elas por diversos canais, incluindo as redes sociais, e pela falta de vínculos reais, não virtuais, sendo que estes se tornam o único canal de afetividade efetivamente disponível. Por isso tem aumentado o vício em telefonia (com casos de nomofobia) e redes sociais. Sem outros contatos reais, físicos, os filhos se tornam reféns da exibição desenfreada na internet, que funciona como um grito de "olha para mim", "me note", "diga que eu tenho valor".

Saber relacionar-se também é um aspecto muito importante para a felicidade. O pesquisador americano Shawn Achor aponta, no livro *O jeito Harvard de ser feliz*, que o único elemento comum na maioria dos estudos já realizados sobre a felicidade é a *qualidade* das relações humanas. Ou seja, felicidade é ter relações saudáveis com outras pessoas. Quando as relações são instáveis, ambivalentes e não satisfatórias, dificilmente uma pessoa vai alcançar a felicidade. O maior estudo feito sobre essa temática, com mais de 70 anos de duração, chama-se *Grant Study* [Estudo Grant]. Entre diversos aspectos medidos com os investigados, o fator mais relevante não era o estado civil, a renda ou o local de moradia. O mais impactante para a felicidade era a qualidade das relações construídas.

Como os pais podem se empoderar

O organismo dispara dopamina quando aprendemos coisas novas. Então, quando uma criança passa por uma frustração e, em vez de resolver o problema para ela, o pai ou a mãe diz coisas como "pense em como é que você vai resolver isso, o que você vai tirar dessa experiência, o que você pode fazer de melhor em relação a isso", eles estão incentivando uma postura de autonomia. Em lugar de mimar e superproteger, os pais devem estimular a criança a aceitar o fato, a empreender seu melhor, a criar novas estratégias, a renegociar com seu desejo e a buscar uma compreensão sobre o que lhe aconteceu. Esse é o caminho da autonomia, que, por sua vez, traz felicidade, porque aprender proporciona isso. Ajudar o filho a ver a situação como um desafio, como uma oportunidade de crescimento, é o caminho. Isso é muito mais eficaz do que ver a situação como um problema insolúvel, o que é paralisante. É o que ensina Carol Dweck, autora do livro *Mindset*. Em seu *best-seller* ela nos ensina que a mentalidade de processo (as coisas – e eu – podem mudar) é o que nos leva a perseverar, pois acreditamos (a + crédito + ar) em nós e no futuro e assim enfrentamos (en- + frente + -ar) melhor a vida, nos colocamos de frente para ela e a encaramos.

Existe uma diferença entre o prazer imediato e a felicidade, como já foi apontado. Tudo aquilo que vem muito rápido também vai muito rápido, como os fogos de artifício. A felicidade é algo que se constrói de dentro para fora, que vem da segurança de que a pessoa dá conta das coisas, consegue resolver seus problemas, é hábil em lidar com seus desafios, tem relações positivas com os amigos, possui recursos internos para lidar com o tédio, a solidão. Então, se o tempo todo a criança ou o adolescente está hiperestimulado ou tem seus desejos atendidos, como vai desenvolver essas habilidades?

Em um mundo complexo, competitivo, exigente e imprevisível, aquele que tem autonomia, habilidade de estabelecer relações humanas, de criar e recriar, de aprender e reaprender, ou seja, aquela pessoa que tem o senso de empreendedorismo e boas ações diante da vida vai ter muitas oportunidades. Afinal, o mundo tem muitas questões a serem resolvidas, e essas pessoas vão saber buscar conexões, lidar com as tecnologias, reinventar seu trabalho e sua vida. Elas têm mais chances de encontrar algum sentido na vida. Já aqueles que preferem apostar em um caminho mais fácil, garantido, cheio de privilégios, encontrarão miséria emocional e profissional. Uma leitura inspiradora a esse respeito é a obra de Martin Seligman *Aprenda a ser otimista*, criada a partir de pesquisas com crianças treinadas a ver a vida de forma proativa, a perceber que as coisas podem mudar e que elas podem aprender com a experiência. Essa visão empreendedora da vida nos leva a confiar, a acreditar e a enfrentar.

Outro ponto importante é entender que a palavra final sobre três grandes questões da vida do filho é dos pais: saúde, respeito e educação. Os pais são os líderes da casa, são os adultos da família, então cabe a eles dizer "não" para coisas que não façam bem ao filho.

Por exemplo: quando um ato do filho está afetando a saúde dele, quem deve interferir são os pais. Eles podem dizer: "Você não vai fazer isso porque aqui em casa a saúde é importante, não interessa como é por aí". Se o filho xinga a mãe na frente do pai ou vice-versa porque não vai poder fazer um passeio, o outro precisa dizer: "Peça desculpas para a sua mãe, nosso combinado sobre educação não é esse, tem jeito mais educado de falar". Ou ainda: "Que linguajar é esse? Você não pode falar assim comigo nem com o seu pai. Na nossa família, somos pessoas educadas", "qual é o nosso combinado sobre como tratar pessoas? Fale de novo, do jeito certo".

No entanto, para isso ser eficaz, é bom ter autoridade e também praticar esses comportamentos. Afinal, de nada vai adiantar cobrar respeito, educação e saúde do seu filho se não se faz exatamente o oposto no dia a dia, já que todos aprendemos com o exemplo.

Devem ser oferecidas às crianças opções para ajudar a pensar e a desenvolver a criatividade. Por exemplo, para reduzir o tempo de internet e *videogame*, estimule o filho a encontrar outras coisas para fazer, de forma a enfrentar o tédio. É claro que em um primeiro momento a criança vai espernear, reclamar e até dizer alguma palavra inadequada. Nesse caso, o melhor a fazer é se empoderar: diga com firmeza que não gostou da postura. Pergunte qual é o combinado sobre educação e respeito (para que a criança relembre os combinados e perceba o que fez); se necessário, pode mandar o filho para o quarto e deixá-lo encontrar sozinho outra coisa para fazer. Dessa forma, você mostra que acredita que ele terá a capacidade de encontrar soluções.

A médica francesa Françoise Dolto dizia que, ao contrário do que muitas vezes se pensa, o ser humano já compreende o que se fala desde bebê. Por isso, temos de conversar com as crianças com muita clareza, porque elas entendem. Para Dolto, os pais devem confiar nos filhos e respeitá-los, e essa postura fará com que eles confiem nos pais e os respeitem.

Assim, as mães francesas são estimuladas desde cedo a esperar um pouco antes de acudir o filho que chora no berço para que ele, aos poucos, vá adquirindo autocontrole. Às vezes, o bebê chora porque está se percebendo no mundo. Se a mãe vai até lá imediatamente, a criança vai criando um condicionamento de nunca se controlar. Para Dolto, é importante que a criança desenvolva autonomia o mais cedo possível, tornando-se capaz de encontrar soluções para as próprias questões.

Por exemplo, quando os filhos fazem birra ou ficam chateados, muitos pais podem se sentir culpados e tentados a fazer suas vontades. Entretanto, é importante manter a postura firme para que as crianças entendam quais valores são prezados pelas famílias e não estão abertos a negociação. Os pais precisam lembrar que há momentos chatos, difíceis, desagradáveis que irão acontecer, várias vezes na vida, e são inevitáveis. Todos vão se chatear com determinadas situações de vez em quando. Chateação faz parte da vida, e as crianças e jovens precisam aprender a lidar com ela, já que não se pode evitar que aconteça.

Atitudes para uma educação saudável

Veja, a seguir, dez exemplos de como lidar de modo adequado e ponderado com questões comuns no dia a dia das famílias.

1) "Em nossa família, temos um trato. Quando vemos um de nossos filhos gritando ou destratando alguém, paramos na hora e, estejamos onde for, conversamos para retomar nosso combinado. Se preciso, paramos a refeição, o programa ou até o passeio para reforçar a importância do respeito. Não damos bola para cara feia, birra ou enfrentamento. Nós somos os adultos da casa e acreditamos que é nosso papel manter o respeito incondicional."

Moral da história
Crescer em um ambiente no qual as pessoas são respeitadas independentemente de seu papel, idade ou posição, favorece o amadurecimento saudável e a formação de uma atitude cidadã.

2) "Sempre procuro o melhor lugar ou horário para falar com cada filho, de acordo com sua individualidade. Com o do meio, conversamos enquanto preparo o churrasco. Com o pequeno, papeamos sentados na cama dele, de ombro encostado, um pouco antes de ele dormir. Com o mais velho, falamos enquanto consertamos a bicicleta, arrumamos o chuveiro ou fazemos algo pela casa."

Moral da história
Pode ser interessante conversar com cada filho de uma maneira ou em um momento diferente. Cada pessoa é única. O bom líder sabe observar as singularidades de seus liderados e mostra interesse por eles.

3) "Avisei que nossa funcionária lavaria as roupas em determinados dias da semana e as deixaria em cima da máquina. Disse que cada um deveria juntar suas roupas sujas, levar para o cesto, separando as brancas das demais, e depois buscar na lavanderia. Nas duas primeiras semanas, meu filho me desafiou e não fez isso. O quarto dele ficou cheio de roupa suja espalhada pelo chão. Até que chegou o dia do jogo de basquete, e ele teve que ir de uniforme amassado e sujo – e não pôde jogar. Pronto. Nunca mais se comportou assim e passou a colaborar com as tarefas da casa."

Moral da história
Cidadania se aprende dentro de casa, a partir de uma percepção clara de direitos e deveres. Mimar os filhos os deixa despreparados para a vida. Ações devem ter consequências.

4) "Meu filho tem um novo amigo na classe. Um dia, ele foi à casa desse amigo, e no dia seguinte foi a vez de o menino vir até nossa casa. Ao chegar do trabalho, vi os dois em cima da mesa e os mandei descer. Meu filho ficou emburrado e, na manhã seguinte, me disse que os pais do garoto deixavam subir na mesa e que eles eram legais. Falei que meu propósito na vida não é ser legal, e sim leal ao que acredito ser o certo. Na minha casa, as pessoas não põem os pés na mesa. Fim de papo."

Moral da história
Assuma o comando. A casa é sua, com as suas regras. Você, pai ou mãe, é o adulto, o líder da família, o que orienta cada um em direção à melhor versão de si mesmo.

5) "Antes de comprar ou fazer algo, sempre me pergunto – e oriento meus filhos a fazerem o mesmo: Posso? Quero? É necessário? É bom para todos? É a hora? Está dentro da lei? É o momento? Há algo que pode ser reciclado, reutilizado, recriado? De onde vai vir o dinheiro?"

Moral da história
É papel dos pais treinar os filhos para serem pessoas criativas, empreendedoras, solidárias, pacientes e sustentáveis.

6) "Criamos um ritual familiar: uma vez por semana, cada um conta uma situação na qual praticou um valor e como se sentiu. É gostoso ver como aos poucos vamos nos envolvendo e querendo compartilhar algo bacana."

Moral da história
Mostre familiaridade, esteja atento e presente, olhos nos olhos. Filhos tendem a se importar com pais que se importam com eles.

7) "Em casa, passamos a viver de acordo com as evidências: fizemos um gráfico de direitos e deveres e temos praticado uma postura mais meritocrática. Ficou mais claro e simples de decidir. A cada semana observamos se os direitos e desejos (dos filhos) estão sendo equilibrados com os deveres e responsabilidades (com a casa). Esse sistema é o que gere nossas decisões sobre regalias, presentes ou passeios."

Moral da história
Deixe claras as regras do jogo, o sistema de funcionamento da casa, as suas expectativas. Seja firme quanto ao valor da sua palavra.

8) "Quando tenho uma dificuldade, quando me sinto desafiado ou provocado pelos meus filhos, reflito: o que eu diria a meu melhor amigo? O que ele me diria para fazer?

Como uma pessoa muito sábia lidaria com essa situação? Quem saberia resolver isso? Que lição posso tirar disso tudo? Como eu agiria, na melhor versão de mim mesmo? O que a vida espera de mim neste momento?"

Moral da história
A distância entre os sonhos e as conquistas depende em grande parte de nossa atitude. Pare, pense e aja como um adulto empoderado, capaz de escolher.

9) "Eu estava virando aquela mãe matemática, que pede as coisas para os filhos contando 1, 2, 3. E nunca funcionava. Até que lembrei que meu pai, quando me pedia coisas, exercia sua autoridade, e ai de nós se não obedecêssemos. Ele nunca nos batia, pois não precisava. Ele tinha poder na voz, e, quando não fazíamos o que ele pedia, perdíamos a liberdade ou alguns privilégios, como o direito de escolher o filme no cinema, uma comidinha especial, um presentinho na visita ao zoológico, o prazer de ir ao parque, coisas simples que para a gente tinham muito valor. Hoje, mudei. Peço até duas vezes e, se não for atendida, simplesmente faço com que eles arquem com as consequências."

Moral da história
Empodere-se de sua liberdade. Reforce os combinados da casa, sem escravizar-se aos filhos. Você é o líder, e ponto. A palavra final é sua.

10) "Acertei com meus filhos e minha esposa uma divisão não sexista de papéis. Analisamos as tarefas e as dividimos pela seguinte ordem: o que cada um mais gosta de fazer ou faz bem-feito. Depois pensamos nas atividades de que cada um gosta menos, como tirar o lixo ou lavar o carro. Todo mundo faz alguma coisa pela casa. A cada trimestre podemos trocar. Se não há consenso, sorteamos as tarefas."

Moral da história
Cabe aos pais ensinar aos filhos, por meio do exemplo, a importância da responsabilidade em relação à casa e à família e a serem colaborativos e solidários.

Existem ainda algumas ferramentas que podem ajudar os pais na tarefa de se empoderarem e estabelecerem uma educação saudável em casa. A principal delas é o projeto de vida familiar – o conjunto de atitudes que a família estabelece como suas mais nobres e valiosas definições e decisões acerca de cada membro e das relações que eles construirão com a vida nas mais diversas áreas. Deve ser um documento escrito, claro, positivo e criado em conjunto com os filhos. Também é interessante estabelecer metas e objetivos pessoais e grupais, com diferentes prazos – para uma semana, um mês, um ano, próximos anos – e indicações de como todos da família podem se ajudar para atingi-las.

É importante, ainda, fazer uma análise dos papéis familiares, já que tendemos a repetir padrões dos nossos ascendentes. Para isso, procure responder às seguintes perguntas: o que foi herdado de nossos pais como padrões que queremos manter? E que atitudes dos nossos pais não apreciamos e queremos mudar? Qual o papel do pai? Da mãe? Do filho? Do funcionário? Qual nosso projeto para educar filhos para a autonomia, a maturidade e a cidadania? Que tipo de pessoas queremos formar para o mundo? Como podemos viver de forma mais espiritualizada, praticando valores e pensando no bem comum?

Por fim, para que todos os membros da família se sintam participantes e continuem comprometidos com o projeto de vida familiar, é recomendável, de tempos em tempos, fazer uma sessão de *feedbacks*: trocar ideias sobre como todos estão se sentindo; o que estão enfrentando na vida que exige mais energia de cada um; se há algo ou alguém que deixa algum membro da família triste, chateado, irritado ou ameaçado; se há algo que quer pedir; se alguém tem alguma ideia bacana para o convívio familiar; e, fundamental, o que todos têm a agradecer.

QUADRO 1 | Uso saudável da tecnologia

Atualmente, existem diversos estudos mostrando que a exposição exagerada a *videogames* violentos aumenta de fato a agressividade da criança. De acordo com as orientações da Sociedade Brasileira de Pediatria, duas horas de tela por dia é o tempo máximo recomendado para crianças acima de 6 anos e adolescentes. Por isso, os pais devem usar estratégias para reduzir o uso de jogos eletrônicos e estimular os filhos a participarem de jogos com bola, fazerem brinquedos de sucata, lerem, desenharem, ouvirem música, entre outras ações, para que exercitem a imaginação e a criatividade.

Os *videogames* desenvolvem preponderantemente o raciocínio lógico, o raciocínio analítico, a tomada de decisão, a competitividade e o foco restrito. Muitas dessas capacidades são necessárias para a vida; porém, as habilidades de convívio, de espera e de criatividade acabam ficando prejudicadas. Isso é muito sério e perigoso.

Muitas vezes, os pais acabam usando o celular como um brinquedo educativo para a criança, porque de fato ela fica entretida com ele. Mas isso não é recomendável. Já que uma criança de até 10 anos não aguenta ficar parada mais que meia hora, se for comer com seu filho faça uma refeição mais rápida, que permita que ele fique à mesa com a família sem mexer no celular. Além de ser anti-higiênico, há prejuízo maior: perder a oportunidade de desenvolver a familiaridade, a confiança e a importância, que advêm de conversar sobre assuntos em comum e conviver bem. Também se deixa de desfrutar a comida e o pouco tempo que pais e filhos em geral têm juntos.

Como a tecnologia faz cada vez mais parte da vida de todos, seguem sugestões para que as crianças façam uso dela de modo que não prejudique seu desenvolvimento. Porém, lembre-se: de nada adianta exigir isso dos filhos se você não larga o celular em nenhum momento. Como já foi dito, o exemplo é uma ferramenta fundamental para a educação.

1. Na hora do estudo, oriente seu filho a deixar o celular em outro cômodo, para não prejudicar a concentração e a atenção. As *pop-ups* e notificações dos aplicativos tiram o foco da criança dos livros.

2. Pratique o "detox digital" na hora das refeições, durante passeios e nos momentos em que vocês estão praticando a desejada familiaridade.

(3) Evite acordar e dormir com o celular ao lado da cama. Esse hábito é uma porta de entrada para o vício na internet, porque a criança e o adolescente ficam sempre ligados nas mensagens que recebem. Além disso, a luz do aparelho não permite que se entre no sono profundo, essencial para apagar as memórias desnecessárias do dia. Assim, o cérebro não descansa, e a pessoa fica mais dispersiva, irritada, estressada.

(4) Se seu filho não consegue sozinho usar a tecnologia de forma mais comedida, cabe a você, independentemente da idade, tirar o celular, o *tablet* ou o computador de perto por algumas horas. O filho tem que entender que a palavra final sobre saúde, respeito e educação é dos pais.

QUADRO 2 | Suicídio: como tratar do tema em casa

Abordar o assunto suicídio é sempre um delicado desafio. Muitos pais e mães temem falar abertamente sobre o tema, com receio de incentivar os filhos a uma atitude drástica como essa. No entanto, ocorre exatamente o contrário. Conversar sobre o assunto tem diversas vantagens: há chance de todos poderem expressar seus medos; os filhos sentem que seus pais se importam de verdade e percebem de fato o quanto são queridos e amados, o que nem sempre é tão óbvio para eles quanto os pais pensam. Além disso, o simples fato de se prepararem para essa conversa dá oportunidade aos pais de fazerem uma reflexão muito importante sobre qual o clima da casa, como estão os relacionamentos, tanto entre o casal como entre pais e filhos.

Assim, antes mesmo de falar com os filhos, a sugestão é que o casal reflita com muita sinceridade e cuidado sobre como está o próprio casamento, o dia a dia e a quantas anda o amor. Isso é importante, porque não raramente os filhos acabam pagando um alto preço pelo desafeto entre os pais. Por exemplo: o pai briga com a mãe e deixa de dar atenção ao filho com o qual ela se relaciona bem. A mãe se divorcia do marido e, como o filho tem atitudes parecidas com as dele, ela lhe vira a cara. O pai não é mais fiel à mãe, e, se a filha percebe que há algo no ar, ele se afasta dela, deixando-a no vácuo, e não raramente com o sentimento de culpa e baixa autoestima. Se a mãe teve uma criação mais liberal e o pai foi criado em um lar mais exigente, as brigas podem se tornar frequentes, pois cada um tem uma visão de mundo, e os filhos sentem o clima pesado na família.

Da mesma forma, é bom refletir se problemas do trabalho também não estão sendo jogados em cima dos filhos. "Veja o quanto eu me sacrifico por você, que só me traz desgosto"; "você é uma porcaria de filho, não faz nada direito, eu trabalho o dia inteiro para vir para casa e ter esse desgosto com suas notas"; "essa sua escola é cara demais, e eu tenho que trabalhar para sustentar seus luxos". Falas assim, quando frequentes, aumentam a sensação de que viver não é algo bom. Aos pais cabe cuidar da própria carreira e não se deixar humilhar pelos pedidos indevidos ou fora de seu alcance que seus filhos façam. Afinal, não faz sentido tratar os filhos como imperadores tiranos e depois se revoltar contra eles. Melhor é se empoderar, colocar os gastos e as liberdades no padrão que faça sentido para a família e reconquistar a paz em casa.

É bom deixar claro que um ato drástico como o suicídio não ocorre por um motivo apenas, ou por "culpa" de uma única pessoa. Ações assim costumam acontecer como consequência de muito tempo de sofrimento, solidão, desamparo e baixa autoestima. Nada disso se cria da noite para o dia. O clima ruim em casa pode agravar esses sentimentos? Sim.

Pode ser a causa de uma tentativa de suicídio? Não acredito. Pois, como disse, não há uma única causa.

Cerca de 50% do que somos tem razões genéticas. Assim, tanto o aspecto emocional quanto a motivação para os estudos e a forma de lidar com as adversidades têm um componente genético. O problema é que muitas vezes os pais não têm a capacidade nem a formação para detectar, a tempo de fazer algo a respeito, os sinais que indicam que algo não está bem com os filhos. São eles:

- O filho de repente começa a ficar muito mais calado, não fala nada de si.
- Ele se isola, não quer sair do quarto para quase nada.
- Mostra desinteresse pela turma, pelos amigos, não quer mais sair nem conviver com os colegas que antes eram importantes.
- Come muito menos, se desinteressa pelos cuidados básicos de higiene e saúde.
- Apresenta desinteresse pelo rendimento escolar, mostra que não se importa mais com suas notas e com o que pensam dele na escola.
- Anda sempre coberto, mesmo nos dias quentes, para esconder sinais de automutilação, como cortes e arranhões; não quer mais participar das rotinas da família, mostra-se indiferente para com os demais.
- Não sai do celular, nem nas refeições nem na hora de dormir.
- Tem o olhar triste, distante ou vazio, mirando o nada.
- Puxa briga à toa, fica muito mais arisco e confrontador.
- Fala sobre a morte como se fosse algo normal.

> - Fala mal de si mesmo, como se tivesse pouco valor.
>
> - Mostra-se indiferente a conversas sobre atitudes, pedidos de colaboração, mensagens da escola, indicando desmotivação nas tarefas.

Claro que um ou outro desses sinais não indica necessariamente que um filho esteja pensando em tirar a própria vida. Da mesma maneira, há casos em que nenhum desses sinais esteve presente, e um adolescente tentou se suicidar em um ato desesperado e impensado. É preciso ver o todo e o cotidiano, estar atento para perceber se algo está muito fora do comum por muito tempo. Afinal, falamos também pelos nossos comportamentos, não somente pelas nossas palavras.

O suicídio tende a aumentar na medida em que os filhos chegam à puberdade, e mais ainda na adolescência, por uma série de razões. Nessa etapa da vida, tendemos a levar muito em conta a opinião dos demais. Com o crescimento das células-espelho (responsáveis pela empatia e pela capacidade de socializarmos e imitarmos os outros), é bem comum que o adolescente se preocupe com a rejeição, com sua imagem e com a possibilidade de não estar dentro do esperado pelo seu grupo.

Se ele é viciado em internet, aumenta o risco de depressão, ansiedade ou mesmo de suicídio, uma vez que nas redes sociais, com bastante frequência, as pessoas postam uma versão idealizada de si. Comparar-se aos demais é um ato humano, fazemos isso para saber como somos vistos, se somos suficientemente inteligentes, ricos, atraentes e interessantes. É algo natural da nossa espécie, mas, se toma proporções exageradas na vida de seus filhos, pode se tornar uma ameaça. Achor, o psicólogo citado anteriormente, mostra que as chances de depressão aumentam à medida que uma pessoa baliza sua vida pelas redes sociais. O medo é: "O que vão pensar de mim? Será que sou bom o suficiente? Sou popular o bastante? Mereço ser apreciado?". Se há esse medo, é porque esse sentimento está presente no íntimo da pessoa.

Nesse sentido, oferecemos algumas propostas que podem fazer a diferença para um bom projeto de vida familiar.

1) Transmita aos filhos que as pessoas não valem pelo que têm ou pelo que fazem, nem pelas suas notas ou pela beleza física. Todos temos luz e sombra, aspectos positivos e algo a melhorar por dentro e por fora.

2) Permita que, no dia a dia da família, haja espaço para as pessoas rirem de si mesmas, rirem juntas. Afinal, o humor une uns aos outros, relaxa e nos deixa mais preparados para perceber a vida por ângulos novos.

3) Os pais ajudam muito quando abrem espaço para os filhos conversarem sobre suas falhas e frustrações sem serem julgados como fracos ou como se isso fosse besteira. Mostre empatia na hora de ouvir, dizer que entende aquele momento, aquele sentimento, aquela dor. Mostrar aos filhos que dor, solidão, sofrimento, desencanto, tudo isso faz parte da vida de todos nós. São condições naturais da vida humana.

4) Como exposto anteriormente, valorize os esforços dos filhos, mais do que apenas as notas. Isso mostra que os pais percebem que os filhos deram o melhor de si e os aceitam dentro de sua fragilidade ou dificuldade. Uma nota 6 advinda de muito esforço pode valer mais do que um 9 em uma matéria em que o filho tenha muita facilidade. Com o tempo, a determinação, mais do que apenas o talento, pode nos levar mais longe.

5) Troque com eles carinho, olhares afetuosos, abraços, toquem-se e permitam-se estar juntos. Essas ações não são pequenas coisas, são as coisas essenciais que, na prática, nos dão a tão importante sensação de familiaridade, de pertencimento, de que fazemos diferença e de que nossa vida tem valor. Um abraço antes de sair para a escola, um lanche gostoso preparado para os filhos, uma mensagem afetuosa no dia daquela prova, um vídeo para mostrar que está junto, um beijo de boa noite. Muitas dessas coisas não têm sido frequentes em muitas famílias cujos pais voltam tarde e cansados para casa. Só que os filhos têm apenas esses pais para lhes transmitirem a sensação de que são pessoas valiosas. E não é sempre óbvio, para seus filhos, que você os ama, em especial por outra característica da adolescência: a intensidade. Nessa etapa da vida, o cérebro humano perde cerca de 30% dos receptores de dopamina, o neurotransmissor da felicidade e do bem-estar. Isso ajuda a explicar por que, para eles, tudo é tão intenso, tão dramático, tão importante, tão urgente. Uma perda, uma rejeição, uma festa a que não pode ir, tudo isso tem um peso imenso para o adolescente. É melhor ficar atento para não se tornar refém das chantagens e dramas que são comuns nessa etapa da vida dos filhos. Mostre que entende que aquela situação é importante, que aquele convite era incrível, mas ressalte que outros virão. Valide os sentimentos sem precisar necessariamente validar todos os pedidos, essa é a chave para um bom preparo emocional.

6) Seja empático com os pedidos, mas moderado na aceitação daquilo que não faz sentido para você ou vai contra seus valores ou a integridade de seus filhos.

7) Quando um filho estiver dramatizando, esperneando ou fazendo chantagem, faça-o se lembrar de situações do passado em que ele exagerou na percepção, na avaliação ou na argumentação, e de como isso gera um desgaste desnecessário. Seja firme sem precisar ser bruto(a).

8) Tenha paciência, pois, quando parecem fazer drama, eles estão realmente sentindo aquilo: nem sempre é manha e nem sempre eles conseguem se conter. Outra característica da adolescência que gera riscos é a impulsividade. O cérebro ainda não está completamente formado. Assim, em um momento de explosão, ou diante de uma situação muito estressante, aumentam as chances de um ato impensado.

9) Comente no dia a dia como superou adversidades, desafios e dificuldades em sua própria vida, para formar com eles um modelo mental de superação. Conversem sobre pessoas resilientes, persistentes, valentes. Assistam a filmes ou leiam sobre pessoas que alcançam objetivos nobres.

10) Pergunte-lhes quem são seus modelos, seus heróis, as pessoas nas quais eles baseiam suas atitudes. Falar sobre as pessoas que nos inspiram ajuda a tornar consciente o recurso da superação, o que apoia o cérebro na hora da dificuldade. Estimule que seus filhos façam as seguintes perguntas diante dos desafios da vida, antes de tentar resolver as coisas para eles: "O que uma pessoa que eu admiro faria nessa hora?"; "o que meu melhor amigo me diria?"; "o que eu diria ao meu melhor amigo?"; "como uma pessoa realmente inteligente ou madura iria encarar esse desafio?"; "nessa hora tão delicada, qual é a estratégia mais inteligente ou mais madura?"; "o que a vida está querendo me ensinar?"; "qual atitude me daria mais orgulho de fazer?"; "se eu for agir, na melhor versão de mim mesmo, o que farei?".

11) Cuidado com vaidades e narcisismos excessivos. Em uma casa em que as falhas, as dificuldades, as frustrações e os erros são alvo de chacota, de ironias, de maus-tratos, é mais fácil passar a acreditar que não se é bom o bastante para merecer continuar vivo. Em uma casa na qual se valoriza em demasia a estética e as posses materiais, forma-se mais facilmente a crença de que há quem tem mais valor e há quem não merece muito da vida. Só que, quando se perde uma amizade, se termina um namoro, ganha-se uma nota ruim, situações nas quais o dinheiro não tem muito efeito, o jovem fica sem recursos internos para lidar com a adversidade.

12) Procure estimular seus filhos a frequentarem alguma ação de voluntariado para desenvolverem a empatia e a cidadania, perceberem que precisamos uns dos outros e que todos podemos fazer algo pelos demais. Nesse sentido, eles devem visitar pessoas no hospital e também estar presentes nos velórios e enterros. A versão editada da vida perfeitinha, na qual se tira dos filhos as dores e os sofrimentos, só aumenta a fraqueza de caráter.

13) Fale para seu filho que você o ama pela pessoa que é. Entre no mundo dele. Permita-se esvaziar um pouco sua mente quando estiverem conversando, sem interromper, e escute verdadeiramente o que ele tem a falar. Se seu filho não é muito de falar, simplesmente esteja perto. Levem juntos o cachorro para passear ou tomar banho, desçam para caminhar no prédio, lavem juntos o carro, façam juntos o mercado, a faxina, enfim, aproveite situações simples para deixar claro, com suas ações, que a presença dele em sua vida o(a) faz feliz. Que ele tem valor. Que ele tem uma família de verdade que se importa com ele.

DESTAQUES

Pais empoderados educam melhor! E empoderar-se significa persistir em seus valores e no que é importante e inegociável para sua família.

Quando a mãe resolve tudo, no fundo está dizendo para o filho: "Você é um incompetente, não dá conta. Eu sou o máximo e resolvo para você".

Assim como a fome é um excelente tempero para a comida, a espera, a busca, a negociação, a engenhosidade e o empreendedorismo são excelentes motivadores para a busca de algo.

Estamos perdendo o foco na alegria e na celebração das pequenas coisas, porque nada é importante quando tudo é urgente.

Foto: Shutterstock/ND3000

CAPÍTULO 6

Desenvolvendo as competências socioemocionais
A lição de casa das famílias

Desenvolver as competências socioemocionias é essencial para todos aqueles que pretendem ser bem-sucedidos num mundo cada vez mais tecnológico, interconectado e veloz, como já foi dito algumas vezes neste livro. Não se trata, então, de um modismo, e sim de uma necessidade para que os filhos consigam se adaptar às mudanças que estão ocorrendo e vão continuar a ocorrer, superar os obstáculos que eventualmente vão surgir em seu caminho e viver de forma plena e digna. Este é um desafio tão complexo e tão importante que não pode ser desenvolvido apenas pelos educadores. Em nosso vídeo do autor, falaremos mais sobre isso e por que os familiares são tão essenciais para uma educação integral.

Se o mundo nos trará novos desafios, precisaremos de novas competências.

Tanto é assim que a nova Base Nacional Comum Curricular (BNCC) – documento que define os conhecimentos e as habilidades a que todos os estudantes devem ter acesso durante a educação básica –, homologada pelo Conselho Nacional de Educação em 2017, coloca as competências socioemocionais no mesmo patamar das competências cognitivas, de forma a promover uma formação integral das crianças e dos adolescentes brasileiros e prepará-los para enfrentar os desafios do século 21.

Essa visão é corroborada por estudos realizados pela Organização para a Cooperação e o Desenvolvimento Econômico (OCDE). Segundo ela, "a elevação dos níveis de competências socioemocionais – como perseverança, autoestima e sociabilidade – pode, por sua vez, beneficiar fortemente o aperfeiçoamento de resultados relacionados à saúde e ao bem-estar subjetivo, assim como a redução de comportamentos antissociais. Os resultados mostram que consciência, sociabilidade e estabilidade emocional estão entre as dimensões mais importantes das competências socioemocionais a influenciar o futuro da criança. As competências socioemocionais não desempenham um papel isoladamente; elas interagem com as competências cognitivas, permitem trocas mútuas e ampliam a probabilidade de a criança alcançar resultados positivos na vida".[1]

Para promover o desenvolvimento socioemocional, a escola deve, em primeiro lugar, propiciar um ambiente acolhedor e inspirador a seus próprios profissionais. Para isso, deve: incentivar a criação de uma rede de apoio e consideração entre os educadores, gerando familiaridade e estimulando o trabalho em equipe; promover o aperfeiçoamento das competências pedagógicas e educacionais; criar novas competências motivacionais; compartilhar boas práticas; realizar estudo de casos e promover ações de aprendizado comum, tais como trocas de experiências entre pares; estimular a adoção de hábitos de saúde e qualidade de vida; desenvolver contextos formais e informais de aprendizados (esportes, artes, atividades cívicas, entre outras); e oferecer orientação sistemática e multimídia aos familiares.

---

[1] OCDE – Organização para Cooperação e Desenvolvimento Econômicos. Competências para o progresso social: o poder das competências socioemocionais. São Paulo: Fundação Santillana, 2015, p. 14.

Embora essas competências estejam sendo incorporadas ao currículo escolar, também é responsabilidade da família ajudar na criação de um ambiente de desenvolvimento socioemocional propício, como já mencionado no Capítulo 2. Cabe aos pais desenvolverem o tempo de qualidade (com foco e atenção) durante o lazer, as refeições, a higiene. Isso significa estar presente, olhar no olho, desligar a mente de outras coisas, sair do celular e criar, como já falamos, a familiaridade, o estar junto. Uma maior consciência sobre seu estilo de parentalidade – negligente, permissivo, autoritário ou participativo – também ajuda, uma vez que, dessas quatro posturas, a participativa é mais eficaz e promove bem-estar na maior parte dos casos, embora haja momentos em que as demais posturas se fazem necessárias. Os pais também ajudam muito ao ressaltarem para os filhos a importância dos estudos, incentivando o desenvolvimento da força de vontade. Ao praticarem valores no dia a dia – por exemplo, ao segurarem a porta para uma pessoa que esteja com as mãos ocupadas, ou ao incentivarem que um filho prestigie as conquistas ou esteja presente em momentos importantes do outro –, os pais também contribuem para o fortalecimento do caráter dos filhos. Se uma criança treina sua "musculatura" de responsabilidade em casa, tenderá também a praticá-la na escola. Além disso, o estímulo à atitude empreendedora, de fazer as coisas com excelência, é outro fator que nos incita a buscar o melhor para nós e para os demais.

E mais: os pais podem também realizar, em casa, ações para desenvolver habilidades que serão trabalhadas em sala de aula. As sugestões que propomos a seguir para cada uma das dez competências definidas pela BNCC devem ser treinadas pelos pais com seus filhos (*saiba mais sobre essas competências nas páginas a seguir*).

Da mesma forma que desenvolvemos nossa musculatura exercitando-nos na academia ou praticando esportes, é também praticando as competências socioemocionais que as crianças e os adolescentes vão desenvolver seu cérebro de forma integral. É bem verdade que esse treino pode dar trabalho, mas vai dar mais trabalho se não for feito. E unir esforços com a escola promove uma sintonia que traz benefícios para todos.

Então, como desenvolver no cotidiano familiar as dez competências definidas pela BNCC? Vamos explicar cada uma delas de forma simples e compartilhar uma ideia iluminadora para que os familiares entendam sua lição de casa e, ao lado dos professores, assumam seu papel também de educadores. Veja no Caderno de Atividades diversas outras sugestões e ideias para cada uma das 10 competências.

> I) Conhecimento: é a base do progresso humano. É graças à capacidade de aprender e reaprender que podemos nos adaptar, evoluir e criar bens, serviços, objetos. Com um cérebro bem estimulado, podemos ir muito além da sobrevivência, criando, inovando e compartilhando. Trata-se de uma competência essencial à evolução humana.

Pergunte o que os filhos estão aprendendo e como esses conhecimentos podem ser utilizados na prática, estimulando o senso crítico e o valor do aprendizado. Se eles não souberem, vocês podem pesquisar juntos.

> II) Pensamento científico, crítico e criativo: é graças a essa competência que mantemos a mente inquieta e em busca do novo, permitindo-nos evoluir. A ciência, o pensamento crítico e o olhar criativo para com a vida exercitam nosso cérebro e nos permitem pensar, sentir e agir de formas inovadoras ao longo do tempo, favorecendo a autocrítica, a reflexão sobre a vida e o viver e a busca de conhecimentos úteis, belos e que tornem nossa vida melhor.

Perguntas simples como "por que isso é assim", "quem teve essa ideia", "para que serve isso", "de que outro jeito poderia ser feito", "para que situação eu usaria isso", "e se fizéssemos assim", entre outras, podem estimular a inventividade e o gosto pelo conhecimento que devem acompanhar o filho longo da vida.

> **III) Repertório cultural:** cultura envolve muito mais do que cinema, livros ou exposições. É graças ao conhecimento sobre as mais diferentes culturas que podemos entender nosso lugar no mundo, pensar e repensar nossas crenças, significados e valores e perceber como os seres humanos são tão diversos e ao mesmo tempo têm tanto em comum. Conhecimento cultural abre nossa cabeça e nos enriquece por dentro.

Visite museus, fundações e locais com exposições dos mais variados tipos. Uma caminhada perto de algum local turístico também pode enriquecer nossa cultura. Aprender juntos sobre sua cidade, seu país e o mundo pode ser fascinante.

> **IV) Comunicação:** se tiver boa habilidade para se comunicar, uma pessoa pode manifestar seus pensamentos e sentimentos de forma clara e assertiva. *Comunicar* é tornar comum: uma ideia, uma emoção, uma percepção. Num ato de comunicação, tão importante quanto falar é saber ouvir. Pessoas que se expressam bem, seja na forma oral ou na escrita, olho no olho ou *on-line*, e que ouvem com atenção, são bem-vistas e respeitadas.

A comunicação pode se dar de diversas maneiras, não apenas falando. Gestos, expressões faciais e a escrita são modos de expressar e reforçar o que foi dito. Quando algo é difícil de ser dito, escrever pode ser uma alternativa interessante. Estimule seu filho a observar a postura corporal das outras pessoas e a tentar entender o que estão pensando ou sentindo. É importante também que ele se perceba: ao falar algo, bate o pé no chão? Cruza os braços? Passa a mão no cabelo? Fala olhando nos olhos das pessoas? O que sente nesse momento?

> **V) Cultura digital:** em um mundo cada vez mais conectado, desenvolver a cidadania digital é essencial. Isso significa ter cuidado com os riscos da exposição indevida de si mesmo e dos outros, com o excesso de exposição pessoal, saber se desligar e encontrar satisfação tanto nas interações on-line como fora delas. É usar as tecnologias também para aprender, relaxar, criar, trabalhar e empreender.

Quando estiver em uma conversa, deixe o celular e todas as possíveis distrações de lado. Preste atenção ao que o filho está dizendo e esteja realmente presente.

> **VI) Trabalho e projeto de vida:** encarar o trabalho como uma forma de contribuir com a sociedade, e não apenas uma forma de ganhar dinheiro ou obter *status*, pode ajudar na construção do projeto de vida. Ao se conhecer, ao investir nas próprias habilidades e competências e ao se abrir para descobrir diferentes ocupações profissionais, uma pessoa pode se sentir apta a encontrar seu lugar no mundo, respeitando a própria natureza e suas motivações.

Valorize as habilidades e os interesses que seu filho manifesta ou coloca em prática. Procure indícios de temas e assuntos que o deixam motivado e ajude-o a perceber o valor daquilo que o agrada.

> **VII) Argumentação:** diante da diversidade cultural e da grande conectividade que o mundo vem desenvolvendo, saber argumentar é uma habilidade essencial para a convivência harmônica e produtiva. Argumentar é saber expor ideias e opiniões com clareza e adequação, sem deixar de considerar e respeitar o ponto de vista do outro. É debater ideias e ideais sem denegrir ou maltratar o outro, discordando, quando for o caso, com elegância e respeito.

Procure situações cotidianas que demonstrem o valor do conhecimento mesmo entre áreas aparentemente distintas. Por exemplo: "Filho, veja como é importante termos estatísticas sobre o rendimento de um atleta na hora de escalar quem deve bater um pênalti"; "filha, sabia que muitas das máquinas usadas na engenharia foram desenvolvidas com base na observação da natureza? Já parou para pensar que escavadeiras usam os mesmos princípios de movimentos de braços, ou que amortecedores foram desenvolvidos com ajuda da observação de nossas articulações?".

> **VIII) Autoconhecimento e autocuidado:** esse é um dos exercícios mais valiosos e desafiadores da vida. Quem se conhece consegue perceber *do que e de quem* precisa para ser feliz. É o autoconhecimento que permite perceber sonhos e transformá-los em projetos. Sabendo de nossos pontos fortes e dos aspectos a desenvolver, reconhecemos que somos falíveis e que precisamos uns dos outros. Podemos nos cuidar, manter nossa autonomia, senso de eficácia e autoestima.

Converse abertamente sobre alegrias e tristezas, conquistas e frustrações. Pergunte aos filhos não somente sobre como estão indo na escola, mas mostre também interesse por eles como pessoas: "Como foi seu dia?"; "o que sentiu hoje durante o jogo?"; "quem são seus amigos mais próximos?"; "o que deixa você feliz?"; "o que mais o(a) irrita?". Além disso, fale também de si. Converse, sempre.

IX) Empatia e cooperação: perceber as necessidades, o momento e os sentimentos do outro é uma capacidade nobre e inteligente. As amizades, os estudos, o trabalho e os relacionamentos são enriquecidos com uma atitude recíproca de validação. Dessa forma, com todos cooperando, abre-se espaço para o respeito ao bem comum, um dos valores humanos mais elevados.

Quando se defrontar com ideias diferentes das suas, ouça atentamente até o fim, sem interromper, sem criticar. Pratique em casa a habilidade de debater ideias e ideais sem a necessidade de que apenas um vença as discussões. Há momentos em que ambos os lados podem pensar no que o outro apresentou e depois (no dia seguinte, na próxima semana...) voltar ao debate, sem que uma parte precise anular a outra.

X) Responsabilidade e cidadania: famílias, grupos, times e empresas nas quais se praticam o respeito mútuo e a cidadania se transformam em lugares mais agradáveis de se viver. Superar o egoísmo, o individualismo e o imediatismo são algumas das atitudes que nos permitem valorizar o "nós" acima do "eu". Ser cidadão não é se anular, ao contrário: é adotar uma visão e uma atitude nobres diante dos demais, valorizando, assim, o todo e a todos. É, sobretudo, ter uma postura ética, o que aumenta a felicidade.

Considere a dedicação, o esforço e o comprometimento, mais que apenas os resultados finais, valorizando a perseverança, a criatividade e a busca de caminhos alternativos, de forma proativa, diante de desafios.

> ## QUADRO 1
>
> Como vimos até aqui, uma relação saudável e funcional precisa de confiança, parceria e cumplicidade. Pense bem: em quem você confia hoje em dia? Nas grandes marcas? Nas agências reguladoras? Nos políticos? Quando não confiamos, sentimos que perdemos o controle de nossas ações. Se confiamos no parceiro amoroso e nos entregamos, a relação cresce. Se somos músicos e confiamos no maestro, se seguimos suas orientações, a música é bem executada. Como citado anteriormente, no livro *The Gold Mine Effect* [*O efeito mina de ouro*], o pesquisador Rasmus Ankersen comenta que um dos fatores mais determinantes do sucesso de um atleta é a confiança em seu treinador. Ele conta que, na Etiópia e na Jamaica, ninguém vai treinar corrida e fica perguntando quantas voltas serão dadas nem qual é a meta do dia. Os atletas chegam cedo ao campo de treinamento e fazem o que o treinador lhes pede para fazer. Eles se entregam. E os resultados desses dois países nesse esporte são incontestavelmente consistentes. Confiança funciona.

Quando a relação entre a família e a escola não é pautada pela confiança, pela parceria, pela cumplicidade, os alunos sentem que podem jogar. Isso significa que eles, no lugar de seguir as regras, as orientações e as lições, tenderão a manipular, a pedir privilégios, a questionar tudo o que puderem para que vença o princípio do prazer imediato, e não o senso de realidade, as regras e os combinados. E, quando se instala a postura de imperador, a tendência é prevalecerem situações cujo resultado final será o ressentimento, o aborrecimento e a mágoa.

Quando uma família matricula seus filhos em uma escola, está aceitando uma série de deveres e adquirindo direitos, e o combinado é que ambos sejam respeitados e cumpridos.

Quando pais e mães abusam do seu poder econômico e fazem ameaças abertas ou veladas aos educadores, ou se encontram em pleno pátio da escola para falar mal da instituição, estão extrapolando seus direitos de forma indevida.

No livro *Elogio à disciplina*, o pedagogo alemão Bernhard Bueb afirma que é a disciplina que gera excelência. Ele mostra como atividades aparentemente distintas, como matemática, música, ciências ou teatro, precisam de continuidade, de perseverança, de insistência, de obstinação, enfim, de disciplina. E, para serem aprendidas, é preciso que tanto os pais quanto os educadores se esforcem nesse sentido. Uma pessoa disciplinada não faz somente o que tem vontade; ela faz o que tem que ser feito. Não faz as coisas como bem quer; faz do jeito certo. Não faz quando acha que é a hora; faz no tempo certo.

Pequenos imperadores e imperatrizes não desenvolvem disciplina justamente porque foram ensinados a acreditar que o mundo é que deve se ajustar a eles, e não o contrário. Existe, então, uma grande chance de ocorrer o seguinte: filhinho mimado, adolescente folgado, adulto desempregado, pai desesperado, avô endividado. Pais que não ensinam aos filhos que no mundo há regras, limites, parâmetros e hierarquias acabam os afastando da chance de formar um caráter autônomo e empreendedor e por isso eles podem se tornar pessoas à deriva na sociedade e no mundo do trabalho. Claro que nem todo profissional desempregado está assim porque quer ou por ter postura mimada, mas, como já vimos, competências socioemocionais bem formadas favorecem o pleno desenvolvimento social e profissional. Um imperador, uma imperatriz, pelos motivos que já discutimos, tem uma grande chance de se tornar dispensável, desinteressante inclusive ao mercado de trabalho.

Quando há confiança entre a família e a escola, podem existir diferenças, mas elas são conversadas entre os adultos. É muito melhor que os adultos (família e escola) construam e honrem um contrato claro sobre direitos e deveres de ambos os lados que resulte em um clima de paz e segurança para todos. Quando faltam essas duas condições, o cérebro humano não funciona bem. O excesso de cortisol advindo do estado de raiva, ressentimento ou mágoa inibe o pensamento criativo e, assim, aumentam as chances de confrontos.

Há uma pequena história que diz mais ou menos assim: era uma vez um homem que ia em seu carro, tarde da noite, rumo a uma cidadezinha para descansar, depois de um dia cheio de trabalho. A certa altura, ele ouve um barulho seco e percebe, pela direção, que um dos pneus furou. Lembra-se de que não tem estepe e fica triste e apavorado por ter de dormir em plena estrada. Por sorte, percebe a alguns metros dali uma casinha, iluminada por um pequeno poste de luz amarela incandescente. "Que alívio", ele pensa. "Ao menos poderei ligar para avisar minha família, e quem sabe consigo chamar ajuda". Mas a cada passo que dá em direção à pequena casa, ele pensa coisas que lhe entorpecem a mente: "E se os moradores forem pessoas más? E se não quiserem me ajudar? E se não tiver ninguém? E se eles quiserem me extorquir?". Assim, chegando em frente à casa, já irado, em ponto de briga com quem vai encontrar, toca a campainha com toda a força. Quando uma senhora humilde abre a porta, ele despeja xingamentos furiosos sobre ela porque "não quer ajudá-lo".

Para que esse tipo de coisa não aconteça nas relações entre escola e familiares, para que os grupos de WhatsApp sejam mais cordiais e propositivos, e os encontros, fundamentados em mais parceria, sugerimos a maior clareza nessa delicada relação. À medida que ambas as partes estejam conscientes de seu papel e de sua importância, propomos que o contrato entre família e escola seja lido a cada rematrícula e esteja à vista na recepção da instituição.

Preparando-me para minha dissertação de mestrado, encontrei vários estudos indicativos de que uma boa parte dos pais se afasta das escolas por motivos pessoais – excesso de trabalho, crenças sobre não ser importante participar – mas também por receio de serem maltratados, porque são chamados apenas quando têm que pagar algo ou quando há problemas. Esse cenário precisa mudar para educarmos nossos jovens de forma saudável.

O Quadro a seguir apresenta algumas informações importantes para melhorar as relações entre a família e a escola. Ele foi elaborado com base em uma pesquisa com centenas de escolas de todo o país. Não temos aqui a pretensão de esgotar o tema nem de abranger todos os aspectos dessa complexa relação, ao contrário. É muito mais um ponto de partida, uma flecha lançada na direção da clareza, da cumplicidade e da confiança. O objetivo é que ambas as partes recuperem sua responsabilidade e a alicercem no reconhecimento da importância vital que uma tem para a outra.

DIREITOS dos pais	**DEVERES** dos pais
Ter acesso às informações pedagógicas e comportamentais do filho, aos professores, à coordenação e à direção, em caso de necessidade.	Acompanhar, de forma participativa, a educação dentro e fora da escola e o cotidiano do filho.
Oferecer sugestões para aprimoramento das aulas, do atendimento e de outros aspectos administrativos, utilizando os canais claramente definidos para isso.	Respeitar a filosofia, as regras e o sistema disciplinar da escola e exigir que o filho faça o mesmo.
Ter conhecimento de quais conteúdos estão sendo ensinados, bem como do que podem fazer para ajudar em casa, quando for necessário, para a assimilação deles.	Conversar com o filho e orientá-lo quando a escola apontar essa necessidade, especialmente em situações nas quais ele precise mudar de atitude em relação aos estudos ou a questões comportamentais.

DIREITOS dos pais	**DEVERES** dos pais
Conhecer a proposta da escola e ter acesso a questões como: estrutura física, formação dos professores, prática pedagógica, sistemas de avaliação, calendários de provas, o que é esperado do aluno em cada etapa escolar, projetos e atividades curriculares e extracurriculares a serem desenvolvidos ao longo do ano, bem como a informações sobre atividades e horários nos quais sua presença é importante.	Debater com o filho estratégias para a entrega das atividades escolares com pontualidade e eficiência, dentro dos parâmetros e sistemas estabelecidos pela escola, assim como acompanhar suas notas e frequência, garantindo sua presença nos dias letivos e exigindo dele comprometimento, disciplina, responsabilidade e proatividade.
Receber informações adequadas sobre como ajudar o filho em dificuldades relativas a aspectos comportamentais ou pedagógicos, como leituras, filmes, sites, aplicativos, atividades, mudanças de rotina ou profissionais adequados que precisem ser contratados para ajudar.	Transmitir, praticar e reforçar valores éticos e morais e estimular que o filho se comporte de forma digna e respeitosa em todas as ocasiões.
Ter comprovações de que o filho está recebendo uma educação de qualidade.	Estar sempre atento aos comunicados e às solicitações da escola e manter atualizados os meios de contato entre escola e família, para garantir uma comunicação rápida entre ambas.
Receber, em prazo razoável, feedback sobre comentários ou solicitações enviados à escola.	Diante de situações de dificuldades ou fracassos, conversar com o filho sobre os aprendizados obtidos com aquela situação e os ajustes necessários para a superação, como mudança de hábitos e posturas em sala de aula, envolvimento e dedicação escolar.

DIREITOS dos pais	**DEVERES** dos pais
Conversar com o professor, em reuniões particulares, quando houver baixo rendimento do aluno.	Repensar as rotinas do filho, evitando excessos que sobrecarreguem a agenda, bem como longos períodos de abandono.
Receber informações sobre o desempenho acadêmico e o comportamento do filho a cada fim de trimestre ou semestre.	Informar a escola sobre qualquer situação que o filho tenha vivido que possa prejudicar o bom desempenho escolar.
Ser informado com antecedência sobre mudanças em procedimentos, como calendário escolar, matriz curricular, carga horária ou despesas.	Oferecer ao filho a estrutura física e humana necessária para seu bom desenvolvimento.
Ter respeitados seus valores culturais e religiosos.	Comparecer às reuniões de pais e a eventos do calendário escolar em que sua presença seja importante.
Ter a garantia de que a escola conta com professores capacitados e preparados para ministrar os conteúdos.	Sempre que tiver alguma dúvida ou problema, consultar primordialmente os canais estabelecidos pela escola.
Ver atendidas as necessidades especiais do filho, dentro dos parâmetros da lei.	Respeitar os funcionários da escola e exigir que o filho faça o mesmo.

QUADRO 2 | Vamos falar de otimismo?

Como ressaltado anteriormente, o otimismo é importante para que uma pessoa consiga alcançar a melhor versão de si mesma. E a boa notícia é que ele pode ser construído. O programa *The Optimistic Child* [*A criança otimista*], no qual Martin Seligman e sua equipe ensinavam crianças, nos Estados Unidos, a terem uma postura otimista e, assim, gerar melhor desempenho acadêmico e bem-estar na vida, deixou algumas lições, destacadas a seguir:

- O otimismo pode ser aprendido. Ainda que algumas pessoas pareçam ter naturalmente uma propensão para analisar a vida por uma lente mais otimista, todos podemos desenvolver uma visão mais positiva de tudo.

- O otimismo tende a promover melhores relações humanas, resultados acadêmicos e condições de saúde, o que impacta positivamente o bem-estar da vida em geral.

- Há momentos e até ocupações profissionais em que a lente pessimista pode ser útil: na hora de planejar algo, por exemplo, essa perspectiva pode ajudar a prever problemas. É o que diz o ditado: "Espere o melhor, mas se prepare para o pior".

- O otimismo deve ser realista: trata-se da atitude geral diante da vida em que percebemos que não podemos ter sempre o melhor, mas podemos sempre fazer o melhor com o que temos.

- De modo geral, o otimismo realista nos leva mais longe e de forma mais segura.

- Faz parte da atitude otimista desenvolver, sendo humano, a permissão para errar. Muitas vezes o sofrimento não decorre tanto da falha ou da perda, mas da atitude narcisista de não aceitar o próprio erro. Grandes atletas, empreendedores, artistas e ganhadores de prêmios Nobel também erram.

- O perfeccionismo, por não ser realista, tende a se tornar uma atitude cruel consigo mesmo. Como errar faz parte da vida, logo aquele que não aceita a vida não aceita a si mesmo.

- Diante de erros, o melhor a fazer é analisar o que se pode mudar numa próxima tentativa, atendendo, assim, à consciência de que a vida anda.

- Também vale a pena refletir, quando se falhou ou se perdeu algo, sobre qual seria a efetiva importância daquilo na sua vida como um todo. Reduzir o drama, o exagero e a histeria ajuda a retomar o controle da própria vida.

QUADRO 3	**Dicas para ajudar o filho a ir bem na escola**

- Mostre a importância do aprendizado para a vida como um todo, e não apenas para tirar boas notas na escola, conversando sobre os conteúdos aprendidos na escola e suas aplicações no dia a dia.

- Proporcione um ambiente adequado ao estudo: organizado, arejado, sem interrupção, com boa luminosidade e sem elementos distratores, como celular, animais de estimação, música, televisão, telefone.

- Ajude o filho a se concentrar com incentivo, reforço de atitudes positivas nesse sentido e respeito ao *timing* dele.

- Acompanhe a realização das tarefas de casa, valorizando os esforços, estimulando a excelência, mostrando interesse; reforce a importância do estudo diário, do cumprimento das tarefas propostas, da revisão constante e interessada dos conteúdos aprendidos. Evite a postura tarefeira, a mesmice, a superficialidade.

- Escute as angústias do filho e suas dificuldades, mas não resolva seus problemas. Quando ele tiver um conflito, debata caminhos adequados e estratégias, mas jamais ligue ou vá ao pátio da escola para falar com o colega com o qual ele se desentendeu, por exemplo.

- Demonstre afeto, dê carinho, diga palavras gentis e reforce atitudes positivas do filho.

- Valorize a figura do professor, estimulando que o filho faça o mesmo, com respeito e gratidão por poder estudar e crescer em um ambiente com oportunidades. E se ocorrer uma dificuldade com um professor ou uma matéria, pensem juntos em formas de entender e resolver a situação.

- Determine o horário de dormir do filho e faça com que seja cumprido, para que a saúde mental e emocional dele estejam bem cuidadas.

- Não busque privilégios para o filho; ensine-o a ter solidariedade, empatia, respeito, sentimento de coletividade e cidadania.

- Reforce o senso de autovalorização do filho, dizendo e mostrando que acredita nele, que ele é capaz de alcançar seus objetivos e que pode fazê-lo.

- Debata construtivamente sobre as frustrações, os limites, as dificuldades e as experiências doloridas da vida. Não queira sempre ter respostas ou soluções. Ser ouvido e acolhido muitas vezes é o que o filho precisa.

- Ajude o filho na organização da agenda de tarefas escolares, evitando sobrecarga de atividades em épocas de provas, entrega de trabalhos na última hora ou esquecimento de tarefas.

- Incentive-o ao uso da internet em pesquisas dos assuntos do ano em curso, para partilhar com os colegas na escola os conhecimentos adquiridos além do livro didático.

DESTAQUES

"Otimismo não é acreditar que tudo acontece para o bem, mas fazer o melhor que se pode com o que acontece."
Tal Ben-Shahar,
professor da Universidade de Harvard, EUA

Antes de mandar uma mensagem de WhatsApp impulsiva para quem quer que seja, é bom lembrar que crianças e adolescentes nem sempre falam toda a verdade quando relatam um problema.

Quando uma família matricula seus filhos em uma escola, deve aceitar uma série de deveres para que possa ter acesso aos seus direitos.

Conclusão

Pais empoderados educam melhor, pois se sentem mais fortes para promover mudanças necessárias em seu lar. Eles vencem a vitimização ("ai meu Deus, o que eu faço?", "por que isso foi acontecer comigo?") e o drama ("não aguento mais isso", "meus filhos me deixam maluca") e decidem trilhar o caminho com mais clareza e serenidade.

Como vimos, é uma educação baseada em valores e em um projeto de vida familiar que vai formar cidadãos conscientes e éticos para enfrentarem o futuro desafiador que se desenha no horizonte. Oferecer isso aos filhos não é uma tarefa fácil, mas não fazê-lo será muito pior – não só para eles e sua família mas para toda a sociedade.

Tenha em mente que, mesmo que a síndrome do imperador já tenha se instalado em sua família, sempre é possível mudar. Nosso cérebro muda, não é estático, e por isso ninguém está garantido nem condenado a nada. Sempre é tempo para mudar e reescrever nossa história, à medida que nos apropriamos dos nossos desejos mais profundos, no momento em que conseguimos nos reconectar com nossos valores essenciais e tomamos uma decisão nesse sentido.

Quando nosso pensar, nosso sentir e nosso agir estão em harmonia, sentimo-nos em um estado de integridade. Se eu penso que quero ter uma família unida, sinto que isso é algo que eu mereço viver e tomo as atitudes que podem me ajudar nesse sentido; sinto-me mais forte, mais empoderado.

Felizmente, não somos a nossa história. Somos o que fazemos da nossa história a cada momento de nossas vidas. A cada dia podemos, sim, recomeçar, recriar e renovar nossa existência olhando para nós mesmos e para os outros com outro olhar, menos neurótico e mais proativo, mais determinado a fazer o que for preciso para sermos a pessoa, os pais e as mães que queremos e merecemos ser. Com novas escolhas, abrem-se novos cenários em nossas relações.

Quem eu **sou** determina o que **penso**, **sinto** e **faço**. Se **sou** uma pessoa calma, se tomo a decisão de me tornar uma pessoa assim, passo a contar com um instrumento interior que me direciona na interpretação dos fatos, na percepção de quem sou diante do que vivo em família, que me diz o que fazer nas horas difíceis. Melhor do que mudar comportamentos às cegas, ou querer que os outros o façam, é **tornar-se** uma pessoa que seja independente emocionalmente de verdade, livre de pensamentos disfuncionais e determinantemente criativa na busca de atitudes que façam a diferença na realização de seus desejos mais profundos. Essa é a verdadeira essência do poder de um pai e de uma mãe.

É preciso ressignificar sua identidade, para que seu papel diante da vida e de seus filhos se renove a fim de alcançar uma felicidade autêntica. Isso significa entender que você não está maltratando o filho quando o faz esperar, ou quando não atende todos os desejos dele, não cede a tudo que ele pede. Ao contrário. Como diz Içami Tiba em seu livro mais conhecido, *Quem ama, educa!*, cuidar é ajudar o outro a chegar à melhor versão de si mesmo, desenvolvendo sua força de caráter, suas virtudes, sua cidadania, suas competências socioemocionais. É assim que os pais se tornam empoderados de seu papel e de sua autoridade como adultos.

Para ajudar você a concretizar seu desejo e seu compromisso de alcançar um verdadeiro estado de empoderamento dentro da sua família, apresentamos brevemente, a seguir, as linhas gerais de cinco fatores que podem fazer uma grande diferença nos hábitos e rotinas de sua casa. No Caderno de Atividades, você terá um guia passo a passo para concretizar um plano de ação, para que esta leitura seja o ponto de partida de uma nova fase de sua vida, aquela em que você assume de vez a liderança de seu lar e o conduz a um destino de paz, amor e felicidade.

Falamos bastante ao longo do livro sobre a palavra "empoderamento". Ela tem a ver com obter ou construir **poder**. Se utilizarmos as cinco letras dessa palavra como um guia de atitudes, é possível ter um caminho claro, mensurável e bem orientado para viver novas e transformadoras experiências.

P – presença

Podemos falar de presença de palco, presença de espírito. *Estar presente* significa tornar o outro, o contexto, o que está em torno de nós digno de voz, vez e valor.

Quando um filho sente que seus pais se importam, tudo muda. Importar vem de "im" + "portar", ou seja, trazer para dentro. Um filho dificilmente vai admitir a autoridade de alguém que ele sinta que não está nem aí, ou que está de corpo presente mas não está lá *de verdade*. Os filhos sentem isso quando, durante as refeições, todos ficam no WhatsApp, ou de olhos grudados na televisão, ou quando ninguém conversa sobre nada relevante e apenas há cobranças ou conversas sempre superficiais, em que se fala mal dos outros e há fofocas, ou em que os filhos se provocam, se cutucam, e os pais nada fazem.

Conviver em estado de caos ou agressividade pode nos intoxicar emocionalmente e nos deixar em estresse, o que é altamente prejudicial à nossa saúde.

O poder da presença é tão relevante que Daniel Goleman, um dos maiores divulgadores da importância da inteligência emocional e autor de um *best-seller* sobre esse tema, afirma, no livro *Foco*, que, quando um médico atende um paciente e se concentra verdadeiramente no que ele relata, aumentam significativamente suas chances de acertar no diagnóstico e no tratamento.

Bater um pênalti com "a cabeça em outro lugar", ler com a mente divagando, dirigir falando ao celular, participar de uma reunião e ficar pensando em outras coisas... Em todas essas situações, percebemos claramente que a falta de presença leva invariavelmente a erros, estresses, desentendimentos, irritabilidade e distanciamento.

Não é isso que queremos em nossa família, certo? Se desejamos que os filhos nos respeitem, é preciso conquistar sua confiança. E isso se faz, invariavelmente, com presença.

O – organização

Em praticamente toda empresa bem-sucedida há clareza sobre a missão, a visão e o papel que cada um ocupa no grupo. Sem isso, as pessoas ficam entregues ao caos e à reatividade diante dos fatos. Sem saber para onde ir, nos sentimos sobrecarregados, e há uma enorme chance de que pequenas situações do dia a dia nos tirem do eixo.

É essencial construir, como na empresa, uma missão familiar, definindo quais são seus cinco valores mais importantes.

Se você quer uma família em que haja respeito, quais são os **pensamentos** que vocês precisam cultivar? Que o outro é importante, que regras são boas, que limites são bem-vindos e que é importante que todos os pratiquemos. Que **ações** vão demonstrar isso? Bater na porta para entrar no quarto do outro, pedir licença ao passar na frente do outro quando este assiste a um filme, por exemplo. Quais os **sentimentos** decorrentes disso? Paz, serenidade, confiança.

Então, se uma pessoa não tiver valores claros, é como se ficasse sem uma bússola moral interna que sinalize do que e de quem se aproximar e do que e de quem se afastar.

Além desse aspecto essencial que é a missão familiar, é indicado ajudar os filhos a organizar o seu dia a dia de modo a zelar por questões centrais da formação da saúde, de uma boa educação e da construção de bons hábitos. Em geral, os filhos podem encontrar dificuldades para organizar sozinhos seus hábitos de sono, de estudo, de alimentação, sua agenda e até de separar, no dia anterior, seus materiais escolares.

Tudo isso não deve ser visto como "chatice" ou "pegação de pé". Os pais não estão sendo "malvados" ao insistirem na formação de hábitos voltados à disciplina, à higiene e aos cuidados com o corpo e com o ambiente em que se vive. Tudo isso constitui uma base moral, atitudinal e ética que favorece o amadurecimento e beneficia o futuro profissional dos filhos.

D – disciplina

Ser disciplinado significa saber aonde se quer chegar e não medir esforços para realmente organizar pensamentos, sentimentos e ações que conduzam a esse objetivo.

Uma mãe disciplinada mede seus passos, mas nunca seus sonhos. Ela sonha alto, mas entende que há algo muito melhor que sonhar: realizar.

A pessoa disciplinada entende que regras, leis, limites são elementos valiosos para o sucesso e para a felicidade. Vencer o imediatismo, os hábitos nocivos e a impulsividade nos permitem uma vida mais livre, mais sadia, mais tranquila. Ter uma vida assim é o que todos queremos. É o que todos merecemos. No entanto, para isso acontecer, é preciso praticar.

Sem um projeto, sem um compromisso, sem uma decisão interna dificilmente se conquista uma medalha olímpica, êxito profissional ou uma formação familiar bem-sucedida. O sucesso é resultante da disciplina.

A verdadeira distância entre o que sonhamos e o que conquistamos depende de nossa atitude diante de nós mesmos, dos outros e da vida.

E – engajamento

Engajar-se significa comprometer-se com algo buscando melhores resultados, transformações e mudanças positivas. Tem a ver com a empatia, no sentido de trazer o outro para dentro de nós, compreendendo-o e aceitando-o como ele é. Muitas vezes, conseguimos reconhecer nossos desejos por mudanças, conseguimos visualizar as modificações necessárias para alcançar novos cenários; porém, com o ritmo de trabalho por vezes intenso, com mudanças às quais devemos nos adaptar de maneira cada vez mais veloz e com um cotidiano avassalador, acabamos fracassando no engajamento com o que realmente queremos. Quando não há um verdadeiro envolvimento, perde-se a familiaridade, o que é prejudicial para todos.

Não adianta termos consciência de que devemos estar mais presentes, de que devemos nos organizar e ter clareza de nossa missão se não nos comprometermos voluntária e intencionalmente com isso. Será apenas mais um projeto a ser feito, ou uma realização sem perenidade.

Vocês estão engajados uns com os outros? Quais são as questões com as quais sua família se engaja? Quais são as questões com as quais gostariam de estar mais engajados? Repare que costumamos ser fiéis àquilo a que atribuímos valor, àquilo que é significativo e importante para nós. E sabemos que essa decisão de compromisso e responsabilidade dá trabalho, pois envolve disponibilidade de tempo e de investimento emocional.

Reconhecer o que é valioso para nós e estabelecer prioridades é uma ótima maneira de nos engajarmos naquilo que é realmente importante para a harmonia familiar.

R – resiliência

Esse elemento do poder se relaciona com a efetivação de tudo o que falamos até aqui, pois ideias são inspirações, mas a verdadeira transformação se dá no mundo concreto, material, nas experiências verdadeiras que vivemos.

Pais empoderados colocam em prática suas propostas de vida, e quando se pegam pensando que "tudo isso dá muito trabalho", lembram que "sim, é muito trabalhoso mesmo, mas dá uma satisfação tão grande quando funciona!".

Com a força da resiliência, você terá condições de desarmar o ciclo do mimo e a síndrome do imperador. Como dito ao longo deste livro, o milagre não vai vir de fora, de uma fórmula mágica, e sim de uma decisão interna de transformar a educação de seus filhos. Pessoas resilientes acreditam em si, creem que são capazes de desenvolver novas competências e não medem esforços para isso. Pessoas assim acreditam no futuro e se preparam para ele.

Muitas vezes, como já explicado aqui, conseguir que os hábitos mudem pode levar de 10% a 20% do tempo que um sintoma levou para se instalar. Portanto, se foram anos de maus comportamentos, não espere por mudanças da noite para o dia.

O esforço compensa. Não há como desistir da família que é sua, não é possível delegar uma tarefa que é sua: a educação dos seus filhos. Vale a pena apostar e persistir, porque a recompensa é a felicidade de todos. E uma sociedade melhor.

Com esta leitura, você já deu o primeiro passo. Agora, aos poucos, comece a observar a si mesmo, notando os ajustes que pode e deve fazer. Com humildade e curiosidade, pesquise a situação de sua família, examinando não só o comportamento dos seus filhos, mas também o seu. Olhe para dentro de si e reconecte-se com aquele desejo sincero de formar uma família unida e feliz que tanto o(a) emocionava quando seu(sua) filho(a) estava prestes a nascer.

Estamos chegando ao fim desta leitura, mas antes tenho um último convite. Permita-se ficar em uma posição mais relaxada para experimentar uma emoção importante. Entre em contato com a sua respiração e acalme-se. Vamos juntos.

Lembre-se dos seus sonhos, de tudo o que você via de bonito para seu futuro. Permita-se lembrar do encanto que permeava a espera pela chegada do seu bebê. Por um instante, agora, pense no frio na barriga que você sentia nos primeiros dias em casa com aquela pequena vida que estava em suas mãos. Quantos sonhos, quantas promessas.

Lembre-se dos primeiros passos, das primeiras palavras e dos infinitos sorrisinhos que derretiam seu coração. Tanta coisa aconteceu desde então... E tudo bem, pois o rio da vida não para mesmo. Ele nos desafia todos os dias a nos olharmos para ver se estamos, hoje, melhores que ontem. Todo pai, toda mãe acerta muito. Mas se perde também. A vida é assim. Ela flui.

Se você sente que se perdeu, que sua motivação ou sua convicção já não é mais a mesma, saiba que não está só nesse sentimento. Muitos hoje se sentem assim. Mas você leu este livro até o final e, se chegou até aqui, é porque uma parte muito importante de seu eu ainda acredita que é possível reverter a história. E é mesmo. Mais importante que não cair é continuar se levantando e aprendendo as lições para seguir adiante mais preparado para o amanhã.

O bom é que a vida, sua vida, pode recomeçar neste exato momento. É preciso sermos generosos com nossos sonhos mais bonitos. E é preciso também transformar esses sonhos em projetos. Projetos de vida, com vida e para a vida. Essa é a essência de uma família.

Com o nosso Caderno de Atividades você poderá, passo a passo, dia a dia, reconstruir olhares, escutas, posturas e redescobrir ou até construir entre vocês muito amor e união. Permita-se começar uma nova etapa de sua vida.

Obrigado por ter chegado até aqui com sua leitura. Ficarei aguardando um e-mail seu comentando suas experiências. Quero conhecer suas histórias, o que está fazendo que o(a) ajuda no sentido de ter a família que sonhou.

E, quem sabe, em nosso www.asindromedoimperador.com.br você encontrará histórias que o(a) inspirem também, além de muitos outros conteúdos? Vamos juntos?

Um abraço afetuoso,

Bibliografia

ACHOR, Sean. *O jeito Harvard de ser feliz: o curso mais concorrido de uma das melhores universidades do mundo*. São Paulo: Saraiva, 2012.

ANKERSEN, Rasmus. *The Gold Mine Effect: Crack the Secrets of High Performance*. London: Icon Books, 2015.

BENVENUTTI, Maurício. *Incansáveis: como empreendedores de garagem engolem tradicionais corporações e criam oportunidades transformadoras*. São Paulo: Gente, 2016.

BUEB, Bernhard. *Elogio à disciplina: um texto polêmico*. Porto Alegre: Artmed, 2008.

CARR, Nicholas. *Geração superficial: o que a internet está fazendo com nossos cérebros*. Rio de Janeiro: Editora Agir, 2011.

CHRISTAKIS, Nicholas. *O poder das conexões*. Rio de Janeiro: Campus, 2009.

COLLINS, James; PORRAS, Jerry. *Feitas para durar – práticas bem-sucedidas de empresas visionárias*. Rio de Janeiro: Rocco, 1995.

DAMON, William. *O que o jovem quer da vida?* São Paulo: Summus, 2009.

DOLAN, Paul. *Felicidade construída: como encontrar prazer e propósito no dia a dia*. Rio de Janeiro: Objetiva, 2015.

DRUCKERMAN, Pamela. *Crianças francesas não fazem manha: os segredos parisienses para educar os filhos*. Rio de Janeiro: Objetiva, 2013.

DUHIGG, Charles. *O poder do hábito: por que fazemos o que fazemos na vida e nos negócios*. Rio de Janeiro: Objetiva, 2012.

FRAIMAN, Leo. *Como ensinar bem a crianças e adolescentes de hoje: teoria e prática na sala de aula*. São Paulo: FTD, 2017.

FRAIMAN, Leo. *Meu filho chegou à adolescência, e agora? Como construir um projeto de vida juntos*. São Paulo: Integrare Editora, 2011.

FRANKL, V. *Em busca de sentido*. Petrópolis: Vozes, 2009.

GIANNETTI, Eduardo. *Felicidade: diálogos sobre o bem-estar na civilização*. São Paulo: Companhia das Letras, 2002.

GLADWELL, Malcolm. *Fora de série – Outliers: descubra por que algumas pessoas têm sucesso e outras não*. Rio de Janeiro: Sextante, 2008.

GOLEMAN, Daniel. *Focus: el motor oculto de la excelência*. Buenos Aires: Ediciones B, 2013.

HAN, Byung-Chul. *Sociedade do cansaço*. Petrópolis: Vozes, 2017.

HARARI, Yuval Noah. *21 lições para o século 21*. São Paulo: Companhia das Letras, 2018.

HERCULANO-HOUZEL, Suzana. *O cérebro em transformação*. Rio de Janeiro: Objetiva, 2005

MCGONIGAL, Kelly. *Os desafios à força de vontade: como o autocontrole funciona, por que ele é importante e como aumentar o seu*. Rio de Janeiro: Objetiva, 2013.

MINISTÉRIO DA EDUCAÇÃO. *Base Nacional Comum Curricular: educação é a base*. Brasília: MEC, 2017.

MLODINOW, Leonard. *O andar do bêbado: como o acaso determina nossas vidas*. Rio de Janeiro: Jorge Zahar, 2009.

OCDE. *Competências para o progresso social: o poder das competências socioemocionais/ Estudos da OCDE sobre competências*. OCDE (Organização para Cooperação e Desenvolvimento Econômicos). São Paulo: Fundação Santillana, 2015.

PORRAS, Jerry; EMERY, Stuart; THOMPSON, Mark. *Sucesso feito para durar*. Porto Alegre: Bookman, 2007.

SELIGMAN, Martin E. P. *Felicidade autêntica: usando a nova psicologia positiva para a realização permanente*. Rio de Janeiro: Objetiva, 2004.

SELIGMAN, Martin. *Aprenda a ser otimista*. Rio de Janeiro: Nova Era, 2005.

SELIGMAN, Martin. *The Optimistic Child: A Proven Program to Safeguard Children Against Depression and Build Lifelong Resilience*. Boston: Houghton Mifflin, 2007.

SUSSKIND, Richard; SUSSKIND, Daniel. *The Future of the Professions: How Technology Will Transform the Work of Human Experts*. Oxford: Oxford University Press, 2015.

TIBA, Içami. *Quem ama, educa!* São Paulo: Integrare, 2007.

TOUGH, Paul. *Uma questão de caráter: por que a curiosidade e a determinação podem ser mais importantes que a inteligência para uma educação de sucesso*. Rio de Janeiro: Intrínseca, 2014.

ZAGURY, T. *Limites sem trauma: construindo cidadãos*. Rio de Janeiro: Record, 2010.

Infográficos

FILHO DESENVOLVE
I-maturidade
In-tolerância
I-rritabilidade
In-segurança
In-satisfação
In-gratidão
In-adequação
In-capacidade
In-stabilidade
Im-peratividade

Frustração do filho aumenta

Escola Desempoderada

Ocorre a des-confiança entre pais e filhos

PAIS AGEM COM
I-maturidade
In-tolerância
I-rritabilidade
In-segurança
In-satisfação
In-gratidão
In-adequação
In-capacidade
In-stabilidade
Im-peratividade

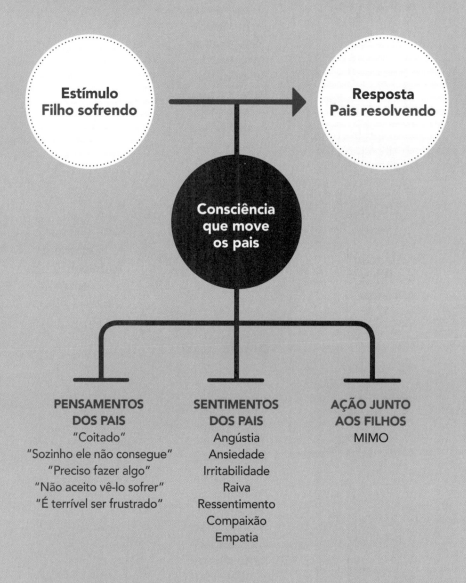

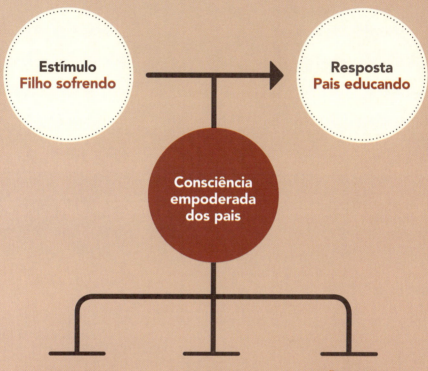

CADERNO DE ATIVIDADES

Este guia propõe atividades que estão organizadas em cinco etapas: cada uma tem, como tema, uma palavra iniciada por uma das letras da palavra PODER. Nossa sugestão é que você as siga e pratique os exercícios sugeridos.

Como verá, há dicas adequadas perfeitamente para a idade de seu(sua) filho(a) e outras nem tanto. Adapte as sugestões ao seu estilo e à fase de desenvolvimento adequada à sua família. O mais importante é a intenção e a consistência de atitudes ao longo do caminho.

Algumas palavras antes de começarmos

Seres humanos são complexos. Há situações nas quais os pais e mães, com as melhores intenções, se aproximam e dão o seu melhor para aprimorar as relações com os filhos, porém nem sempre estes recebem essas atitudes de braços abertos. Seja pelo medo, seja pela falta de costume, seja por desconfiança, não se paute apenas pelas reações de seus filhos. Confie no antigo ditado: "Água mole em pedra dura tanto bate até que fura", e o adapte à nossa realidade: "Carinho doce em coração duro tanto afaga até que entra".

Você certamente sentirá que há dias em que está motivado e tudo funciona bem, e outros em que as coisas desandam e dá vontade de jogar tudo pelos ares e desistir. Isso é humano. Respeite-se nos momentos de fragilidade: afinal, a delicada missão de educar tem altos e baixos em todas as famílias. Quando os ventos melhorarem, retome as atividades de onde parou. O mais importante é a constância, não a velocidade.

Saiba que estaremos torcendo pelo seu sucesso, pelo bem-estar de sua família.

Boa sorte, e lembre-se de nos contar as suas experiências pelo www.asindromedoimperador.com.br.

ETAPA 1
Como desenvolver a **presença**

1. Escreva um bilhete de amor, no qual você irá anotar elogios, cumprimentos, coisas bonitas ou estimulantes para o(a) seu(sua) filho(a). A ideia é mostrar carinho, afetividade.

2. Pergunte para seu(sua) filho(a) como foi o dia dele(a) na escola, além de outros assuntos, e ouça atentamente, sem interromper, fazendo perguntas que demonstrem interesse genuíno.

3. Compareça à escola para saber como anda o dia a dia do seu(sua) filho(a) e converse com ele(a) sobre o que ouvir. Ao agendar essa reunião, comente com seu(sua) filho(a) sua intenção e lembre-o(a) de que quer estar mais perto dele(a).

4. Deixe o celular no modo "mudo" em passeios e refeições, dando foco total às pessoas.

5. Peça para ver a lição de casa e comente o que achar que está bem-feito. Elogie sinais de esforço, concentração e dedicação.

6. Mostre interesse em ver os trabalhos escolares. Procure aprender com eles.

7. Comente sobre algo interessante que esteja vivendo em seu trabalho ou vida pessoal; se for o caso peça ajuda ou a opinião do(a) seu(sua) filho(a).

8. Façam juntos as compras de alimentos, de bebidas ou de outros itens cotidianos.

9. Sente-se no chão e brinque com o(a) seu(sua) filho(a).

10. Dê espaço para seu(sua) filho(a) quando ele(a) pedir para ficar um pouco sozinho(a) ou quando ele(a) não quiser dividir algo pelo que esteja passando.

ETAPA 2
Como desenvolver a **organização**

Praticamente tudo o que se desenvolve na natureza precisa de uma dose de organização, de cadência e de constância para chegar à sua plenitude. Assim como as plantas e os animais se beneficiam de alguma previsibilidade para seu desenvolvimento, as crianças e adolescentes também desenvolvem melhor saúde mental e emocional quando crescem em um contexto no qual haja um senso de organização.

1. A primeira e mais importante questão a ser organizada é quem é o adulto da casa. Cabe aos pais decidir questões como alimentação, horário do sono e outras que impactam objetivamente na saúde e/ou na integridade dos filhos.

2. Estabelecer uma boa rotina, na qual o sono seja preservado, é essencial para a saúde. Dormindo bem, acordamos dispostos e com o cérebro preparado para o aprendizado. Ajude seus filhos a deixarem fora do quarto o celular, o animal de estimação e outros elementos que possam interromper ou adiar o sono.

3. Cabe aos pais decidir o padrão de alimentação. Se não dispõem de conhecimentos suficientes sobre a quantidade

e frequência de alimentos para a faixa etária dos filhos, é melhor consultar um bom livro, um site confiável ou, ainda melhor, visitar todos juntos um nutricionista para que se defina um bom sistema, no qual a comida seja utilizada para ganhar e manter vitalidade, saúde, e não para sanar carências ou como entretenimento.

4. Como já vimos, lotar a agenda dos filhos no afã desesperado de construir diferenciais de modo apressado é menos produtivo e gera um estresse com consequências diversas. Tanto a criança como o adolescente precisam de um pouco de tempo livre para brincar, ler, se divertir e interagir. Contemplar, ficar em silêncio, ter um tempo de recolhimento não é fazer nada; ao contrário, é um momento rico de contato consigo mesmo.

5. Para crianças de até 2 anos, o indicado é não usar aparelhos eletrônicos. A partir dessa idade e até os 10 anos, o ideal é que o uso seja acompanhado pelos adultos até o máximo de 2 horas por dia diante de telas. Procure usar de criatividade em situações como jantares ou saídas em família, especialmente para que os filhos cresçam conseguindo encontrar distrações ou passatempos que não sejam somente vivenciados por meio da tecnologia.

6. A semanada é um bom modo de ensinar tanto a organização quanto a criatividade e a internalização dos limites. Até os 4 anos de idade, a criança tem dificuldade de entender sobre valores e algumas poucas moedas podem ajudá-las a treinar a fazer escolhas. Dos 4 aos 10 anos, um bom cálculo para a semanada pode ser de 2 a 7 vezes o valor da idade por semana, dependendo da renda da família. Já com os maiores de 11 anos, por terem melhor noção de tempo e espaço e é

possível, junto com eles, montar uma tabela dos pequenos gastos que os filhos têm ao longo de um período maior em uma mesada. Ela não deve ser tão pequena que impeça alguma autonomia, nem tão grande que gere a soberba.

7. Pode parecer óbvio para muitos adultos, mas nem sempre o é para os filhos: primeiro as obrigações, depois o lazer. Esperar sentir vontade para fazer a lição de casa ou deixar para fazer o trabalho escolar no domingo à noite, em geral, não funciona. Ajude seus filhos a organizar e seguir uma agenda. Conversem pelo menos uma vez por semana para ver se o combinado está sendo seguido.

8. Não pague seus filhos para que eles ajudem em casa ou sejam boas pessoas. Esse é um dever ético de todos nós. Comprar a boa vontade ou o bom comportamento pode sair muito mais caro futuramente, caso os filhos internalizem uma crença de que o mundo sempre lhes deve algo e que eles não têm responsabilidade alguma com os demais.

9. Pediu emprestado? Devolva. Quebrou? Conserte. Está usando? Tenha cuidado. Fez bagunça? Arrume depois. Tirou do lugar? Coloque de volta. Pertence a outra pessoa? Peça permissão para usar. Regras simples como essas já ajudam muito a orientar o comportamento dos seus filhos diante dos outros.

10. Procure, nas situações simples do cotidiano, envolver seus filhos na organização, manutenção e melhoria do lar. Se o combinado é que eles alimentem e/ou passeiem com o animal de estimação, eles não devem fazê-lo apenas quando estão com vontade. Da mesma forma, não faz sentido que

apenas os adultos cuidem da limpeza e da organização da casa em que todos vivem. Não há justificativa para os filhos não ajudarem na hora de ir ao mercado ou ao sacolão, colocar ou tirar a mesa. A vida fica menos estressante e cria-se um importante senso de cooperação e coletividade se cada um cuida bem de suas coisas e todos colaboram para a manutenção das áreas comuns da casa.

ETAPA 3
Como desenvolver a **disciplina**

Por mais amor que se sinta pelos filhos, sem firmeza e disciplina não se consegue gerar uma base sólida a partir da qual eles possam estabelecer bons relacionamentos e ter um bom direcionamento de vida.

Assim como o uso de um capacete oferece maior segurança ao se dirigir uma moto ou andar de skate, a disciplina eleva prontamente as chances de concretizarmos os objetivos a que nos propusemos. Ela supera a moleza e a falta de vontade, que podem nos envolver mesmo quando queremos muito alguma coisa que, lá na frente, vai nos trazer realização.

É preciso, portanto, dar outro significado à palavra "limites". Longe de impedirem que realizemos alguma coisa de bom e de prazeroso, longe de nos atrapalharem, os "limites" significam cuidado, além de revelarem uma educação zelosa e firme. E ser firme é uma forma de demonstrar amor.

Quando ainda muito novos, os filhos geralmente se rebelam com as imposições relativas a "ter que" uma porção de coisas: dormir na hora certa, acompanhar os pais numa visita à tia idosa doente, usar camisa ou camiseta ao sentar-se à mesa para as refeições, não falar palavrões, ter que pedir desculpas por quebrar alguma coisa e se propor a repô-la ou pagar pelo estrago feito...

– e, se preciso, ajudar a pagar com o dinheiro da mesada, por exemplo.

A maioria só tem clareza do benefício e da importância das coisas aprendidas na infância e na juventude quando chega à maturidade. Então, os pais precisam também aprender a se conter diante das birras, chantagens e manhas dos seus filhos. E precisam, igualmente, vencer a própria preguiça de fazer o que deve ser feito.

Há muitas pessoas que, depois de adultas, lamentam o fato de seus pais haverem cedido e não terem insistido em fazê-las aprender uma língua, continuar os estudos num colégio melhor, esforçarem-se em seus objetivos. Uma vez adulto, mudar condutas e atitudes é bem mais demorado e complicado, mas sempre é tempo.

Há princípios que não devem ser colocados em discussão com os filhos só porque eles não gostam disso ou daquilo – por exemplo, estudar, participar da manutenção da casa e das próprias roupas, brinquedos e pertences. Quando os pais decidem algo e têm convicção de que é para o bem, para proteger ou educar seus filhos, não devem ceder às apelações. Os pais é que lideram e exercem sua "adultocracia", quer os filhos gostem ou não.

Qualquer pessoa – principalmente as crianças e os jovens em processo de formação – que viva num ambiente equilibrado de amor, firmeza e disciplina se sente muito mais segura, sadia, feliz e inteligente. É esse o tipo de ambiente fértil que permite que todos cresçam com muita força interior, que possam fazer boas escolhas, considerando o próximo tanto quanto a si mesmo.

Certamente, não é fácil implementar a cultura da disciplina num lar. É trabalhoso. É desgastante. Você vai encontrar resistência. Mas é nessa hora que você irá demonstrar que as coisas estão mudando, e que em sua casa são os adultos que dão a palavra final nas questões mais relevantes.

Não desista, não amoleça, não tenha medo de perder o amor de seus filhos. Há inúmeros benefícios para todos. Explique as vantagens de eles desenvolverem a disciplina, até mesmo para ganharem mais autonomia. Converse sobre os prejuízos de eles não terem disciplina internalizada, diga que dessa forma eles poderão demonstrar maturidade e, com isso, ganhar ainda mais a sua confiança para liberdades que certamente gostarão de desfrutar.

Naturalmente, todas as sugestões para agir com os filhos devem ser adaptadas à idade de cada um deles e praticadas também pelos adultos da casa.

Na prática:

1. Comente com seus filhos o significado da palavra "disciplina". Uma pessoa determinada, que termina o que começa, que vai atrás dos seus objetivos é uma pessoa com disciplina. Fale com eles sobre esse comportamento nobre que nos eleva. Saber perseguir nossas metas nos permite o sucesso.

2. Combine que a partir de tal semana seus filhos vão passar a acordar com o despertador, sem esperar que você os chame.

3. Desafie: na próxima vez que forem a algum restaurante ou lanchonete, diga a eles que devem comer apenas o suficiente, e não tudo o que der vontade. Explique que essa atitude demonstra autocontrole.

4. Valorize os esforços dos seus filhos, mesmo que o resultado final não seja o esperado. Ressalte que a disciplina e o esforço importam mais do que apenas o resultado. Valorize as situações nas quais seus filhos demonstrem capricho, cuidado, atenção a detalhes.

5. Não aceite a mediocridade: notas médias, arrumação medianamente boa, roupas meio amassadas. Em todas as situações nas quais fazemos algo pela metade, deixamos de praticar a disciplina, que nos permite um resultado de excelência.

6. Oriente quanto à organização: ensine a dividir uma tarefa grande em pequenas etapas, a usar uma agenda física ou digital na qual as ações do dia a dia e os compromissos estejam planejados e registrados, a listar prioridades para visualizar o todo e a celebrar cada pequeno avanço em direção às metas.

7. No momento de estudar, oriente-os a afastar tudo o que gere distração: celular, TV, games, animais de estimação etc. Ainda que num primeiro momento seus filhos se oponham, assuma o comando e, com gentileza e assertividade, insista na importância de se concentrar no que está fazendo.

8. Motive seus filhos a praticarem atividades artísticas ou esportivas, nas quais eles poderão treinar foco, perseverança e disciplina.

9. Incorpore comportamentos disciplinados pela manhã, mostrando como acordar mais cedo para tomar um bom café e um banho revigorante faz toda a diferença para ter um dia melhor.

10. Assistam juntos a filmes que retratem a disciplina sendo praticada para um fim relevante. Pode ser sobre a biografia de algum atleta, ou de um profissional de sucesso que conseguiu se sobressair. Exemplos inspiradores fazem a diferença.

ETAPA 4
Como desenvolver o **engajamento**

Para manter uma boa energia no lar, é sempre válido tomar cuidado para não gritar, não bater, não xingar, não comparar, não ironizar, não se ausentar. Praticar isso com os demais depende, claro, de exercitar essas posturas na própria vida.

1. Ao observar comportamentos inadequados, não se omita, mesmo que isso gere conflito. É importante se posicionar e investir no diálogo para buscar novas atitudes.

2. De manhã, nas refeições e antes de dormir, fiquem longe de noticiários. É melhor o silêncio que ficar em estado de alerta sem necessidade. Percebam e conectem-se com o que realmente é importante naquele momento: aprendam a estar uns com os outros.

3. Se estiver se exaltando, diga que a conversa não está fluindo bem, e que é melhor recomeçar num outro momento. Comente que ambas as partes deverão pensar sobre o que o outro falou/pediu e, mais tarde, retome o diálogo a partir de um novo olhar, mais calmo e sereno.

4. Arrisque-se a novas atitudes se quer novos resultados. Faça algo rotineiro de maneira diferente, com foco no aprendizado e sem medo de errar. Se algo não sair como imaginava, tente novamente de outra forma.

5. Procure fazer atividades em conjunto, valorizando a conexão entre os integrantes da família e fortalecendo os vínculos emocionais. Esteja aberto a ideias e propostas de todos, pratique a abertura ao outro e ao novo.

6. Busque incentivar mudanças necessárias, não incentive "mais do mesmo" nem a passividade diante dos desafios.

7. Sempre que possível, deixe claro quais são suas expectativas e por que espera determinados comportamentos e não outros. Isso traz sentido às expectativas e promove mais engajamento. Quando não estamos ligados ao propósito, é mais difícil nos engajarmos.

8. Viva seus dias com mais propósito. Ao acordar, saia logo da cama, tome um copo de água e sente-se em um lugar confortável. Fique ali por alguns minutos, mentalizando seu dia sendo bem vivido, com os desafios bem trabalhados, os relacionamentos bem orquestrados e o astral elevado. Quando diante de situações delicadas, visualize-se ultrapassando limites ou enfrentando as coisas com elegância e força pessoal. Crie memórias positivas para seu futuro. De vez em quando façam isso juntos.

9. Abrace de forma envolvente. Quando der seu próximo abraço, tente manter o abraço por pelo menos 1 minuto. Durante esse

tempo, ambos os envolvidos devem fechar os olhos, relaxar os ombros, ficar em silêncio, sem se balançar, sem pensar em mais nada além do afeto que têm um pelo outro.

10 Pratique a aceitação criativa. Saiba que 90% do que chamamos de "problemas" decorrem de nossa dificuldade em aceitar a realidade. Ao negar, ao reclamar, ao atacar a vida com palavras ou pensamentos negativos, apenas nos afastamos de uma boa vida. Aceite o que não pode ser mudado. Agora. Já. Nesse momento. Liberte-se de ficar remoendo o que não dá pra ser, o que não pode, o que não vai acontecer. Dê um basta à postura queixosa, vitimista, sofredora. Porém, se algo pode ser mudado, melhorado, aprimorado, consertado, a mudança deve partir de você. Seja o piloto da sua jornada e eleve sua vida a um novo patamar.

ETAPA 5
Como desenvolver a **resiliência**

Resiliência é a capacidade de superação, de dar a volta por cima. Decorre da confiança em si, no futuro e nas próprias capacidades. Ela pode e deve ser treinada. É uma competência que traz inúmeros benefícios às mais diversas áreas da nossa vida. Essa competência valiosa é o ápice da liberdade emocional, da autonomia mental e do empoderamento dos pais na educação de seus filhos.

Nos próximos dias, pratique com seu cônjuge ou outro adulto um exercício interessante diante de algumas situações comuns em sua casa, nas quais, por exemplo, seus filhos costumam sair em vantagem nas discussões, ganhar privilégios especiais sem merecê-los, ou aquelas nas quais você gostaria de dizer "não", mas acaba dizendo "sim".

Depois de alguns dias de prática, adote as ações resultantes desse exercício com seus filhos e perceba como seu coração e sua mente se aliviarão. Destronar a postura do Imperador e da Princesinha são atos de amor supremo.

Lembre-se de que filhos tendem a respeitar pais que se respeitam. A resiliência tem o poder de tornar você mais forte emocionalmente e, praticando-a, permite que retome o controle do destino da sua família.

1. Conte histórias, mitos, contos e lendas por meio de fantoches e personagens, estimulando as crianças a identificar, nessas encenações, ações de superação e resiliência.

2. Exigir que os seus filhos estejam presentes em situações importantes – felizes ou tristes – da família (aniversários, natal etc.), demonstrando solidariedade.

3. Valorizar esforços dos seus filhos, independentemente do resultado obtido. Mostrar que se sente orgulhoso(a) de ver que houve dedicação, esforço, cuidado com detalhes, que algo foi bem feito.

4. Buscar saber mais sobre si mesmo(a), reconhecendo pontos fortes e aquilo que precisa melhorar.

5. Manter o pensamento positivo diante da vida, procurar adotar uma atitude de fé, proatividade e criatividade diante dos desafios e dificuldades.

6. Comente uma situação na qual você se esforçou para terminar algo que foi muito trabalhoso, mas que o(a) fez sentir orgulho ao finalizar.

7. Ao perceber uma situação na qual seus filhos tenham se dedicado muito a uma tarefa extensa, demonstre respeito e parabenize-os pela atitude.

8. Celebre pequenas conquistas. Cultivar o otimismo realista e valorizar as mudanças, mesmo que pequenas, é uma maneira de nos motivar a continuar, ou seja, nos engajar. Isso significa entender que, se é verdade que não podemos ter sempre o melhor, podemos sempre fazer o melhor com o que temos.

9. Procure tecer comentários positivos sobre seu dia. Ao chegar em casa, comente algo bom que viveu, algo belo que viu, uma cena boa que quer viver com eles no futuro. Foque no positivo.

10) Antes do sim/não, do ir/não ir, de comprar/esperar, de deixar/não deixar, lembre-se de que você é o adulto da relação. Pergunte-se:

- O que eu diria ao meu melhor amigo? O que ele diria para eu fazer?
- Como uma pessoa muito sábia lidaria com essa situação?
- Que líder saberia resolver isso?
- Qual a lição que posso obter dessa experiência?
- O que me dará mais orgulho de fazer?
- Como eu agiria na melhor versão de mim mesmo?
- Qual a estratégia mais elegante e mais eficiente?
- Quais os prejuízos de manter esse hábito?
- Quais seriam os ganhos de mudar esse hábito?
- O que a vida espera de mim nesse momento?

Ideias iluminadoras para desenvolver as 10 competências da BNCC no cotidiano familiar

> **I) CONHECIMENTO:** é a base do progresso humano. É graças à capacidade de aprender e reaprender que podemos nos adaptar, evoluir e criar bens, serviços, objetos. Com um cérebro bem estimulado, podemos ir muito além da sobrevivência, criando, inovando, compartilhando. Trata-se de uma competência essencial à evolução humana.

1. Estimule seus filhos a desenvolverem autonomia para estudar e aprender no dia a dia. Não faça as tarefas pelos filhos; ao contrário, debata com eles como pesquisar fontes confiáveis de informação e os oriente a estudar com amigos e colegas quando não souberem os conteúdos. Apresente ideias e estimule que as crianças aprendam com seus colegas como estudar e como aprender.

2. Valorize os esforços para se concentrar e manter o foco. Não interrompa seus estudos. Incentive seus filhos a estudarem com constância, auxiliando no desenvolvimento da força de vontade.

3. Algumas dicas para aprender melhor: antes de estudar, por alguns minutos, ouvir uma música ou assistir a canais de humor leva mais dopamina aos neurotransmissores, ativando mais ainda a acetilcolina, o que nos ajuda a aprender. Fazer pequenas pausas a cada 30 ou 45 minutos favorece a redução do estresse e a manutenção da concentração. Relembrar os ganhos ao aprender e as dificuldades que podem advir da falta de estudo eleva a autoconsciência; trocar ideias sobre como estudar com um colega ou um pequeno grupo também pode elevar a motivação, além de um aprender com o outro.

4. Ajude a reduzir os distratores no ambiente de estudo, como celular, televisão, rádio, animais de estimação, games e/ou outros. Procure usar luz natural ou estudar em local iluminado; mantenha um horário fixo e escrito em uma agenda ou planilha visível.

> **II) PENSAMENTO CIENTÍFICO, CRÍTICO E CRIATIVO:** é graças a essa competência que mantemos a mente inquieta e em busca do novo, permitindo-nos evoluir. A ciência, o pensamento crítico e o olhar criativo para com a vida exercitam nosso cérebro e nos permitem pensar, sentir e agir de formas inovadoras ao longo do tempo, favorecendo a autocrítica, a reflexão sobre a vida e o viver e a busca de conhecimentos úteis, belos e que tornem nossa vida melhor.

1. Apresente a seus filhos pessoas, empresas e ideias inovadoras. Há filmes, canais na internet e documentários sobre personalidades inovadoras que podem inspirar a todos.

2. De tempos em tempos, faça passeios novos, a lugares diferentes, com todos podendo emitir suas opiniões e impressões. Estimule um engajamento em programas diferentes do que é de costume e que todos se abram a novas experiências.

3. Mostre o valor da criatividade nos esportes, nas artes, na música, na ciência, no desenvolvimento de respostas aos mais complexos dilemas e problemas humanos.

4. Comente situações simples do dia a dia em que você usou a criatividade e alcançou êxito, e também aquelas nas quais **tentou algo novo, não deu certo e aprendesse** com a experiência.

III) REPERTÓRIO CULTURAL: cultura envolve muito mais do que cinema, livros ou exposições. É graças ao conhecimento sobre as mais diferentes culturas que podemos entender nosso lugar no mundo, pensar e repensar nossas crenças, significados e valores e perceber como os seres humanos são tão diversos e ao mesmo tempo têm tanto em comum. Conhecimento cultural abre nossa cabeça e nos enriquece por dentro.

1. Cultive o hábito de leitura de diferentes gêneros para ampliar seu repertório cultural. Leia junto com seus filhos e troque ideias sobre temáticas diversas e os livros lidos.

2. Assistir ou participar de manifestações da cultura popular – danças folclóricas, exposições de arte popular, atividades culinárias típicas, teatro e outras –, em geral bastante acessíveis, também contribui para nos enriquecer e nos aproximar do jeito de ser e sentir do nosso povo.

3. Atualmente, é possível visitar museus virtualmente. Assim, mesmo que não seja possível viajar até o local, algumas instituições de todo o mundo já disponibilizam, em seus websites, passeios virtuais.

4. Incentive o espírito de curiosidade e a vontade de ampliar os conhecimentos que seus filhos já possuem; sempre temos algo a aprender. Converse com eles sobre o que aprenderam naquele dia, sejam coisas ligadas a saberes acadêmicos, profissionais ou outros.

5. Cultivar amizades, estar aberto(a) a fazer novos amigos é importante para ampliarmos nossos conhecimentos, termos contato com diferentes modos de pensar, conhecer outras

formas de viver e até mesmo outras culturas. Como é o seu jeito de se vestir, de comer, de conviver na casa dos amigos? O que temos em comum ou de diferente em relação a outras famílias?

> **IV) COMUNICAÇÃO:** tendo boa habilidade de se comunicar, uma pessoa pode manifestar seus pensamentos e sentimentos de forma clara e assertiva. Comunicar-se é tornar comum uma ideia, uma emoção, uma percepção. Num ato de comunicação, tão importante quanto falar é saber ouvir. Pessoas que se expressam bem, seja na forma oral ou escrita, olho no olho ou *on-line*, e que ouvem com atenção são bem-vistas e respeitadas.

1. Fale com clareza e objetividade e, quando terminar, pergunte o que seus filhos entenderam, certificando-se de que não houve interpretação equivocada.

2. Estimule seus filhos a falarem o que pensam e sentem, sem ironizar, ridicularizar ou menosprezar, valorizando o que todos têm a dizer.

3. Praticar a empatia é uma ótima maneira de buscar o sucesso na comunicação. Colocar-se no lugar de outro e esforçar-se para compreender o que os filhos sentem favorece a conexão e a comunicação entre as pessoas. Estimular que ele se coloque no lugar dos outros é igualmente importante.

4. Estimule a clareza de expressão nos seus filhos. Valorize quando eles escreverem ou fizerem trabalhos escolares com dedicação, orientando também no que podem melhorar. Quando necessário, ajude-os na clareza e elegância com palavras e imagens, ligadas ou não ao contexto escolar. Situações

simples do dia a dia também proporcionam oportunidades de fazer esse treino: pedir um suco, escrever um cartão de aniversário, entrar e sair de um local cumprimentando as pessoas com respeito e gentileza.

> **V) CULTURA DIGITAL:** em um mundo cada vez mais conectado, desenvolver a cidadania digital é essencial. Isso significa ter cuidado com os riscos da exposição indevida de si mesmo e dos outros, do excesso de exposição pessoal, saber se desligar e encontrar satisfação tanto nas interações online como fora delas. É saber usar as tecnologias também para aprender, relaxar, criar, trabalhar e empreender.

1. Esteja atento e ensine seus filhos a verificarem a classificação indicativa de aplicativos, programas, jogos e outros recursos digitais.

2. Ao transmitir uma informação por algum meio digital (mídias e redes), coloque sempre a fonte de pesquisa ou a reportagem/dado original, creditando a autoria do conteúdo. Da mesma maneira, quando receber algo sem a devida fonte, não compartilhe.

3. Exercite a curiosidade, o espírito de pesquisa e a análise de informações de pesquisas de dados realizadas nos diversos meios e tecnologias digitais. Por exemplo, ao acessar um site, um blog ou uma rede social, identifique se o conteúdo é confiável, e quem são os profissionais envolvidos nas publicações, na atualização dos dados, entre outros aspectos.

4. Aproveite as tecnologias digitais de comunicação para comparar opiniões, informações e coletar dados sobre um mesmo

assunto, desenvolvendo, assim, o espírito crítico, a capacidade de olhar o todo e sintetizar as informações essenciais.

5) Aprimore-se continuamente, utilizando os recursos tecnológicos de comunicação digital. Atualmente é possível participar de cursos à distância (gratuitos e pagos), palestras, eventos e até mesmo cursos de curta duração em universidades de todo o mundo.

VI) TRABALHO E PROJETO DE VIDA: encarar o trabalho como uma forma de contribuir com a sociedade, e não apenas uma forma de ganhar dinheiro ou obter *status*, pode ajudar na construção de um projeto de vida. Ao se conhecer, ao investir nas próprias habilidades e competências e ao se abrir para descobrir diferentes ocupações profissionais, uma pessoa pode se sentir apta a encontrar seu lugar no mundo, respeitando sua própria natureza e motivações.

1) Conversar com seus filhos sobre seu próprio projeto, falar sobre o que faz no trabalho, suas tarefas mais interessantes, os desafios que enfrenta e seus sonhos é uma forma de se aproximar e ampliar o repertório de conhecimentos deles sobre o mundo do trabalho. Peça que outros parentes e amigos também falem de si e de seu trabalho, em termos que sejam adequados à idade do seu filho.

2) Incentive a aquisição de diferentes conhecimentos, bem como o desenvolvimento da autonomia para conseguir tomar decisões mais conscientes.

3) Permita que seus filhos façam escolhas e se responsabilizem pelas consequências. Por exemplo: se deixar algo pra última

hora, será necessário fazer tudo com pressa ou até mesmo perder o prazo e ser penalizado. Ajude seus filhos a se organizar e a planejar, dedicando energia no começo, meio e fim. Não faça por eles.

4) Estimule que seus filhos conversem com profissionais de áreas diversas, informando-se sobre o mundo das profissões e do trabalho. Mostre respeito e consideração por todas as pesquisas e atividades profissionais. Incentive a curiosidade sobre quem está envolvido nos produtos e serviços que utilizamos no dia a dia.

VII) ARGUMENTAÇÃO: diante da diversidade cultural e da grande conectividade que o mundo vem desenvolvendo, saber argumentar é uma habilidade essencial para a convivência harmônica e produtiva. Argumentar é saber expor ideias e opiniões com clareza e adequação, sem deixar de considerar e respeitar o ponto de vista do outro. É debater ideias e ideais sem caluniar ou maltratar o outro, discordando, quando for o caso, com elegância e respeito.

1) Estimule o gosto pela leitura com uma oferta diversificada de estímulos (revistas, livros didáticos e não didáticos), conversando depois com seus filhos sobre o que leram, o que mais gostaram de ler, o que apreciaram nas histórias lidas (personagens, linguagem, descrições etc.) ou nas ideias expressas em textos informativos.

2) Estimule que seus filhos convivam não apenas com colegas que são parecidos com eles e que pensam da mesma maneira, mas também com pessoas que têm estilos de vida, opiniões, pensamentos e concepções diferentes das deles e da família.

3) Visite uma banca de jornal ou livraria e mostre como diferentes veículos podem informar sobre um mesmo fato, mas por outros ângulos e com opiniões diferentes. Ouça várias rádios com eles e teça observações sobre os argumentos dos comentaristas, reconhecendo seu ponto de vista como aquilo que, para eles, é verdade. O mesmo pode ser feito na internet.

4) Leia junto com seus filhos artigos bem escritos dos mais diversos autores e temas. Estimule-os a criar seus próprios argumentos sobre temas da vida e sobre o que sentem e pensam. Sensibilize-os para que possam ir além do "eu acho" ou "porque sim".

VIII) AUTOCONHECIMENTO E AUTOCUIDADO: este é um dos exercícios mais valiosos e desafiadores da vida. Quem se conhece consegue perceber *do quê* e *de quem* precisa para ser feliz. É o autoconhecimento que permite perceber sonhos e transformá-los em projetos. Sabendo de nossos pontos fortes e dos aspectos a desenvolver, reconhecemos que somos falíveis e que precisamos uns dos outros. Podemos nos cuidar, manter nossa autonomia, senso de eficácia e autoestima.

1) Permita momentos de isolamento para que seus filhos aprendam a encontrar, sozinhos, respostas para suas questões. Não fique sempre ao lado deles, sempre em cima, sempre procurando ajudar. Deixe que encontrem caminhos, prazer e paz por si mesmos, e estimule-os a pedir ajuda quando precisarem.

2) Estimule que seus filhos pratiquem algum esporte ou se exercitem com regularidade para manter a saúde, aliviar a ansiedade e aprender novas habilidades corporais, mentais e sociais.

3. Inscreva seus filhos em alguma atividade estética ou artística, seja ela pontual, como uma visita a um museu, ou contínua, como um curso de artes. Exposições e eventos culturais também estimulam o autoconhecimento.

4. Valorize hábitos saudáveis no que diz respeito à alimentação, ao sono, aos cuidados com a limpeza do quarto e da casa. Oriente-os sobre cuidados com o corpo, a pele, os cabelos e as unhas para manter o asseio e a higiene.

IX) EMPATIA E COOPERAÇÃO: perceber as necessidades, o momento e os sentimentos do outro é uma capacidade nobre e inteligente. As amizades, os estudos, o trabalho e os relacionamentos são enriquecidos com uma atitude recíproca de validação. Dessa forma, com todos cooperando, abre-se espaço para o respeito ao bem comum, um dos valores humanos mais elevados.

1. Reconheça que os conflitos existem e não são sinônimos de fracasso. A forma como lidamos com eles é que pode ser desastrosa ou exitosa. Por isso, posturas de abertura, de colaboração, de respeito e de compaixão devem ser praticadas e exercidas para que se lide de maneira positiva e transformadora com os conflitos.

2. O exemplo é mais eficaz que a fala. Se queremos promover o diálogo, devemos dialogar, olhar no olho, ouvir, ser empáticos. Praticar o que se fala é uma boa maneira de favorecer a empatia e interações saudáveis.

3. Promova uma divisão não sexista de tarefas. Meninos e meninas podem e devem participar da arrumação da casa, ir ao supermercado ou sacolão, cuidar de animais de estimação.

Ao preparar alimento, pôr e tirar a mesa, ao arrumar o quarto, os filhos entendem o valor do que têm e percebem seu lugar no mundo.

4. Leve seus filhos para prestigiar as atividades uns dos outros. Estar presente nas situações importantes constrói o caráter. Da mesma forma, eles devem visitar pessoas próximas em seus aniversários, em hospitais e em outras ocasiões de perda ou dor, que fazem parte da vida. Inscrevê-los em um trabalho voluntário também faz a diferença.

X) RESPONSABILIDADE E CIDADANIA: famílias, grupos, times e empresas nas quais se pratica o respeito mútuo e a cidadania se transformam em lugares mais agradáveis de se viver. Superar o egoísmo, o individualismo e o imediatismo são algumas das atitudes que nos permitem valorizar o "nós" acima do "eu". Ser cidadão não é anular-se; ao contrário, é adotar uma visão e atitudes generosas e solidárias diante dos demais, valorizando assim o todo e a todos. É, sobretudo, ter uma postura ética, que aumenta a felicidade.

1. Não aceite que os filhos reclamem ou falem mal de colegas que não estejam presentes. Mostre que é melhor que, em casos de conflito, eles conversem e, com respeito, encontrem meios de se entenderem ou se respeitarem. Não esconda os problemas dos seus filhos, e sim debata com eles estratégias sadias e inteligentes para possíveis soluções.

2. Pesquisem juntos algumas leis que impactam o dia a dia, como as sobre os direitos do consumidor e o regulamento do condomínio onde vivem. Mostre respeito às leis e aos seus agentes e estimule seus filhos a se manifestarem sempre dentro da lei e da ordem – em casa, na escola e nos espaços públicos.

3. Valorize situações nas quais seus filhos manifestem atitudes éticas e/ou cidadãs, como esperar sua vez na fila, assumir uma responsabilidade e cumprir com a palavra. Faça o mesmo e ofereça ou chame a atenção deles, no dia a dia, para bons exemplos que possam servir de inspiração.

4. Oriente seus filhos para que cumpram os combinados, honrem sua palavra, façam o que foi prometido, envolvam-se nos trabalhos escolares dando o seu melhor e ajudando os colegas em dificuldade. Pratique a discrição e a polidez com atitudes cidadãs e expressões como "por favor", "obrigado", "com licença", "desculpe", "bom dia", "boa tarde", "boa noite".

Para saber mais

COMPETÊNCIA I
Livros

CASTRO, Claudio de Moura. *Você sabe estudar? Quem sabe, estuda menos e aprende mais.* Porto Alegre: Penso, 2015.

LEÃO, Emmanuel Carneiro. *Aprendendo a pensar.* Rio de Janeiro: Vozes, 1992.

MCGONIGAL, Kelly. *Os desafios à força de vontade.* Rio de Janeiro: Fontanar, 2014.

PIAZZI, Pierluigi. *Aprendendo inteligência: manual de instruções do cérebro para alunos em geral.* São Paulo: Aleph, 2007.

COMPETÊNCIA II
Livros

BENVENUTTI, Maurício. *Incansáveis: como empreendedores de garagem engolem tradicionais corporações e criam oportunidades transformadoras.* São Paulo: Gente, 2016.

VARELLA, Drauzio; NICOLELIS, Miguel. *Prazer em conhecer: a aventura da ciência e da educação.* São Paulo: Papirus, 2014.

Filmes

Senna: o brasileiro, o herói, o campeão
Ano: 2010
Direção: Asif Kapadia

Joy: o nome do sucesso
Ano: 2016
Direção: David O. Russell

COMPETÊNCIA III

SAUQUET, Michel. *Compreender o outro*. São Paulo: Ideias e Letras, 2012.

CAVALLI-SFORZA, Luigi Luca. *Quem somos? História da diversidade humana*. São Paulo: Unesp, 2002.

COMPETÊNCIA IV

POLITO, Reinaldo. *Como falar corretamente e sem inibições*. São Paulo: Saraiva, 2006.

TRACY, Brian; ARDEN, Ron. *O poder do charme*. Rio de Janeiro: Sextante, 2010.

COMPETÊNCIA V

ABREU, Cristiano N.; EISENSTEIN, Evelyn; ESTEFENON, Suzana G. *Vivendo esse mundo digital*. Porto Alegre: Artmed, 2013.

ALTER, Adam. *Irresistível: por que você é viciado em tecnologia e como lidar com ela*. Rio de Janeiro: Objetiva, 2018.

Nethics Educação Digital: http://nethicsedu.com.br/

PRICE, Katherine. *Celular: como dar um tempo. O plano de 30 dias para acabar com a ansiedade e retomar a sua vida*. São Paulo: Companhia das Letras, 2018.

COMPETÊNCIA VI

DAMON, William. *O que o jovem quer da vida?* São Paulo: Summus, 2009.

FRANKL, Viktor. *Em busca de sentido*. Petrópolis: Vozes, 2009.

THE SCHOOL OF LIFE (Desenvolvimento da inteligência emocional): https://www.theschooloflife.com/

COMPETÊNCIA VII

NAUMANN, Frank. *A força do carisma*. São Paulo: Lafonte, 2017.

MARTINS, Vera. *Seja assertivo!* Rio de Janeiro: Elsevier, 2005.

COMPETÊNCIA VIII

KRZNARIC, Roman. *O poder da empatia: a arte de se colocar no lugar do outro para transformar o mundo*. Rio de Janeiro: Jorge Zahar, 2015.

TOUGH, Paul. *Uma questão de caráter*. Rio de Janeiro: Intrínseca, 2014.

COMPETÊNCIA IX

FREITAS, Ariane; GRECCO, Jessica. *O livro do bem: coisas para você fazer e deixar o seu dia mais feliz por indiretas do bem*. Gutenberg, 2014.

KRZNARIC, Roman. *O poder da empatia*. Rio de Janeiro: Jorge Zahar, 2015.

SZUCHMAN, Paula; ANDERSON, Jenny. *Spousonomics: use a economia para lidar melhor com seus relacionamentos*. São Paulo: Elsevier, 2011.

COMPETÊNCIA X

CHRISTAKIS, Nicholas. *O poder das conexões*. Rio de Janeiro: Campus, 2009.

CORTELLA, M. S. *Qual é a tua obra? Inquietações propositivas sobre ética, liderança e gestão*. Rio de Janeiro: Vozes, 2007.

A **OPEE Educação** trabalha com projetos educacionais que abrangem toda a educação básica, organizações não-governamentais e ambientes corporativos. Nosso foco principal é contribuir para a construção de projetos de vida sustentáveis e colaborativos e para a atitude empreendedora.

A OPEE busca o despertar do sentido para uma vida plena de direção, significado e sentimento. Educação como ferramenta de transformação social, com foco no autoconhecimento e uma atitude empreendedora em cada projeto de vida.

Atuando em todo o território nacional, a Metodologia OPEE está presente em mais de 1.000 instituições de ensino.

A coleção Projeto de Vida e Atitude Empreendedora contempla diversos serviços voltados à formação de educadores e famílias.

Aos educandos, são proporcionadas experiências de aprendizado ao longo de todo o ano letivo, inseridas na grade curricular plena da instituição por meio de livros que atendem da educação infantil ao ensino Médio.

Nossos focos de atuação são: autoconhecimento e inteligência emocional, escolhas profissionais e mercado de trabalho, educação financeira e sustentabilidade, métodos de estudo e aprendizado. Por meio de leituras, dinâmicas de grupo, pesquisas e projetos especiais o aluno se descobre e desenvolve suas competências socioemocionais, preparando-se para pegar a vida nas mãos e construir seu futuro com caráter elevado e valores humanos.

Contando com a parceria da FTD Educação, o trabalho da Metodologia OPEE é permeado e consagrado por contribuir com a formação integral de crianças e jovens para que sejam capazes de praticar virtudes e construir uma vida boa para si e para os outros.

Nossos alunos são sensibilizados a se tornarem a melhor versão de si mesmos atuando como cidadãos honestos e integrados na sociedade.

Adaptável a todos os sistemas de ensino, a OPEE também visa dar maior sentido ao conteúdo pedagógico, possibilitando ao aluno o foco necessário para que faça escolhas mais assertivas.

Nosso compromisso é contribuir para que nossos jovens tenham brilho nos olhos e se tornem os melhores para o mundo. ∎

www.asindromedoimperador.com.br

Produção gráfica

Avenida Antônio Bardella, 300 - 07220-020 GUARULHOS (SP)
Fone: (11) 3545-8600 e Fax: (11) 2412-5375